Le premier sexe

DU MÊME AUTEUR AUX ÉDITIONS J'AI LU

Petit frère, N° 8939.

Le bûcher des vaniteux, N° 10755.

Le bûcher des vaniteux - 2, N° 10832.

ÉRIC ZEMMOUR

Le premier sexe

ESSAI

À mes grands-pères,
Mon père,
Mes fils

1

Je sais. Je sais qu'il n'y a pas l'Homme et la Femme, mais des femmes et des hommes. Pas de généralités mais uniquement des cas particuliers. Autant de cas particuliers que d'individus. Des milliards d'histoires pour des milliards d'êtres humains sur la terre. Je sais qu'il y a du féminin en l'homme et du masculin en la femme. Je connais mes classiques. Je fus adolescent dans les années 1970. Je sais que la recherche d'un type sexuel est suspecte, voire réactionnaire, ou même fasciste, qu'il n'y a pas de sexe, rien que des genres. Flous, forcément flous. Je sais que je ne suis ni un psychanalyste, ni un sociologue, ni un philosophe, ni une journaliste de *Elle* ou *Marie-Claire*. Je sais que je ne suis même pas une femme. Je sais que je ne prépare pas mon offensive idéologique par une batterie d'enquêtes et de sondages. Je sais que les relations entre les hommes et les femmes sont le sujet central de la littérature et de l'histoire des idées depuis l'aube de l'Humanité.

Mais je sais aussi que l'homme d'aujourd'hui n'a plus rien à voir avec l'homme qu'incarnait encore un Gabin quand il chantait. Mort il y a trente-cinq ans seulement, Gabin. Un souffle dans l'histoire du monde. Un temps suffisant pour une véritable mutation anthropologique. Un homme qui n'est plus fait de tous les hommes mais qui vaut moins que toutes les femmes. Sur des dialogues d'Audiard, Gabin serait aujourd'hui interdit de séjour. Et Ventura, et Belmondo, et Delon, et les chansons misogynes de Brel : interdits de parole, de gestuelle même. Interdits d'existence. Privé de ses propres mots, l'homme a été peu à peu privé d'une pensée propre.

La machine est rodée. Implacable. D'abord, on ne lui parle que de grands principes, d'universel, d'humanité : il n'y a plus d'hommes, il n'y a plus de femmes, rien que des êtres humains égaux, forcément égaux, mieux qu'égaux, identiques, indifférenciés, interchangeables. Le discours qui confond ses propres valeurs avec celles de l'humanité est celui de toutes les puissances dominantes, de l'Empire romain jusqu'à la grande nation, du bon temps des colonies jusqu'à l'*american way of life*. Des hommes avec ou sans majuscule au temps d'une société patriarcale. Et puis, dans un second temps, on suggère la supériorité évidente des « valeurs » féminines, la douceur sur la force, le dialogue sur l'autorité, la paix sur la guerre, l'écoute sur l'ordre, la tolérance sur la violence, la précaution sur le risque. Et tous, hommes et femmes, surtout les hommes, de communier dans cette nouvelle quête du Graal. La société unanime somme les hommes de révéler la « féminité » qui est en eux. Avec une bonne volonté confondante, suspecte, malsaine, les hommes font tout ce qu'ils peuvent pour réaliser ce programme ambitieux : devenir une femme comme les autres. Pour surmonter enfin leurs archaïques instincts. La femme n'est plus un sexe mais un idéal.

C'est pour comprendre ce qui s'est passé, ce qui nous est arrivé, à nous les hommes, pour ressusciter cette pensée, cette psyché virile, pour révéler le palimpseste sous le parchemin féminin, que j'ai d'abord écrit ce petit livre. Comme un traité de savoir-vivre viril à l'usage de jeunes générations féminisées. Travail d'archéologue bien davantage que de polémiste. Je sais que l'on ne devrait jamais suivre ses mauvais instincts. Mais je ne suis qu'un homme.

Nous étions perdus. La voiture revenait sans cesse au même carrefour. Le soleil descendait lentement derrière l'horizon. La campagne provençale étalait ses charmes d'une fin d'été, mais nous ne prenions pas la peine de les admirer. Mon chauffeur avait le rire gêné. C'était un très jeune homme, un militant qui me conduisait à un dîner avec les chefs de l'UDF. Déjeuner, dîner, routine de journaliste et de politique. Entre sympathie sincère et instrumentalisation réciproque. « On » m'a confié à un « jeune » qui n'a pas eu le choix. La discussion entre nous s'engage, moi pour dissimuler mon agacement, lui pour celer son embarras. On parle de tout et de rien, de politique, de Bayrou, de Chirac ; il me dit qu'il a lu et aimé mon livre sur le Président – il me plaît bien, finalement, ce petit ! Je pourrais être son père, même si j'ai des enfants beaucoup plus jeunes. La conversation devient plus personnelle. Je l'interroge sur ses études, ses ambitions. Ses femmes. Il se récrie. De femme, il n'en a qu'une, depuis six mois. Une militante aussi. Il est amoureux. Fidèle. Je joue l'incrédule, il insiste. Je me moque sur le registre de la complicité entre garçons, confidence entre mecs, une de perdue dix de retrouvées : « À ton âge, franchement, quel âge as-tu, vingt-deux, vingt-trois ? » Il se cabre, se justifie : « Avec mon ancienne petite amie, j'ai été infidèle, ça ne m'a attiré que des ennuis. Non, non, je ne recommence plus. » Je pouffe, goguenard. Je lui décris le ridicule d'une génération, la sienne, sagement accouplée à vingt ans comme on le serait à soixante ; je brocarde les garçons de son âge soumis au sentimentalisme des filles, un garçon, ce n'est pas ça, un garçon, ça va, ça vient ; un garçon, ça entreprend, ça assaille et ça conquiert, ça couche sans aimer, pour le plaisir et pas pour la vie, « ça n'a pas de forteresse imprenable, seulement des forteresses mal assiégées » (Gérard Philipe dans je ne sais plus quel film de cape et d'épée que je dévorais grâce à la sainte ORTF de mon enfance), ça prend et ça jette, un garçon, ça goûte sans s'engager, c'est dans le multiple et non dans l'unique, Casanova plutôt que la princesse de Clèves.

Sincèrement outré, il me lance : « Mais vous tenez vraiment un langage de macho ! »

Je ris. Jaune.

Je songe à l'extraordinaire destin de ce mot, « macho », cette géniale trouvaille linguistique des féministes dans les années 1970 qui ont, avec un unique petit mot, transformé les hommes, tous les hommes, en accusés commis d'office, qui ont réussi à les inhiber, qui sont parvenues à renverser la vieille incantation séculaire « sois un homme, pas une gonzesse ! », qui ont transmuté l'éternel masculin en insulte. Un mot et la guerre linguistique fut gagnée. Il ne faut pas négliger les guerres linguistiques. Quelques années avant la Révolution, le mot « nation » avait peu à peu supplanté dans les esprits français celui de « roi ». On se battait de plus en plus pour la gloire de la nation, de moins en moins pour celle du roi. Pourtant, Louis XVI régnait encore.

Je lui jette, un brin méprisant : « Dans les années 1970, on se faisait traiter de macho, mais c'étaient les filles qui nous insultaient ! Pas nos copains. Vous avez adopté le langage des filles, vous avez intériorisé leurs comportements. »

Soudain plus grave, sans me regarder, comme s'il se parlait à lui-même : « Oui, mais nous avons tous été élevés par des mères célibataires, soixante-huitardes et féministes. On pense comme elles. Nos pères n'étaient jamais là. »

Son rire s'étrangle. Je n'insiste pas, ravale mes sarcasmes faciles de vieux con.

Décidément, cette nouvelle génération me poursuit. Plus tard, je reçois le courriel d'un jeune étudiant d'une école de cinéma. Il a adapté mon dernier roman, *L'Autre*, pour son examen de fin d'année. Je lis. Pas déçu. Je l'appelle, le félicite, l'invite. Nous discutons. Je lui avoue ma seule déception. Dans le roman, le héros, François Marsac, est un homme truculent, qui bouffe, boit et baise. C'est l'Amadeus de la politique. Bref, c'est Chirac. Je reproche donc à mon jeune interlocuteur d'avoir évité les scènes de fesse.

D'avoir édulcoré le récit, émasculé mon héros. Perfide, je lui demande s'il s'agit d'une réserve personnelle ou d'un puritanisme générationnel. Il ne sait que me répondre. Me promet d'y réfléchir. Près d'une semaine après, je reçois ce courriel :

Cher Éric,

Je me suis accordé le temps de la réflexion pour répondre à votre épineuse question. Au final, si je manque cruellement de perspective pour émettre un jugement sur ma génération, il me semble tout de même pouvoir observer les choses suivantes :

Le rapport homme-femme a profondément changé. Pour de multiples raisons mais la plus intéressante étant celle-ci : votre génération avait à faire face à un discours féministe alors que la mienne a été élevée par les mères qui tenaient ce discours. Moralité, le discours a été intégré et les femmes sont tout à fait aux commandes dans le secteur, disons de la séduction. Elles l'ont probablement toujours été mais avant les hommes n'avaient pas peur « d'aller au combat ». Je ne pense pas par exemple que Casanova soit un héros d'aujourd'hui. C'est encore un fantasme masculin mais avec de moins en moins de passages à l'acte. C'est peut-être ce qui me gênait dans certaines scènes du livre, que les hommes puissent ainsi affirmer leur domination. Sans lutte ni états d'âme. Cela paraît trop facile !!!!!!!!!!

Par ailleurs l'époque aime la transparence. Plus que votre génération peut-être, tout se sait vite et on doit potentiellement être capable de rendre des comptes à tous. Et je pense que cela effraie. Curieux quand on pense à la quantité de sexe sur les écrans, aux discours à la radio, etc., mais je pense qu'il y a une très grande libération en surface et qu'en pratique tout est beaucoup plus compliqué pour chacun. Douce hypocrisie.

Maintenant, je projette peut-être sur toute une génération mes soucis et ceux de mes meilleurs amis.

À très bientôt.

Je regarde au journal de 20 heures un reportage sur Laure Manaudou. Nous sommes à l'automne 2004. La championne olympique de natation vient de rentrer en France après ses exploits en Grèce. C'est le temps des vacances, de la détente. Elle a rejoint son petit ami, un prof de natation. La musculeuse jeune femme déambule au milieu des nageurs. On interroge le « petit ami », on lui demande si sa vie a changé, si ses relations avec la championne se sont transformées, le regard des autres, etc. D'une voix douce, il a cette réponse qui me stupéfie : « L'essentiel, c'est notre histoire d'amour ; l'important, c'est qu'elle se poursuive. » Je pense à mes sympathiques correspondants. Ils ont raison, les garçons d'aujourd'hui sont plus près de la princesse de Clèves que de Casanova. Des femmes charmantes. J'ai appris depuis lors que ce jeune homme si romantique s'était également révélé fort âpre au gain, s'efforçant de rentabiliser, avec la complicité de l'« agent » de la demoiselle, l'exploit sportif de sa tendre championne, la détournant volontiers de l'austère chemin des bassins pour celui des plateaux de télévision et des agences de publicité. En somme, mêlant sentimentalisme et cupidité, il se comportait exactement comme les femmes dans les films français des années 1930. Le jeune homme fut chassé, avec l'« agent », par des parents sourcilleux et prévoyants. Comme une maîtresse de jadis, cupide et dangereuse.

Une amie me glisse une interview d'Éric Cantona dans *Vogue*. On lui demande : « Quelle est pour vous la femme idéale ?

— La femme idéale, ça serait un travesti, parce qu'il a un peu des deux. »

Éric Cantona est un footballeur français qui connut son heure de gloire dans les années 1990. Il était aussi célèbre pour ses arabesques balle au pied que pour son sale caractère, qui le poussait à insulter des arbitres, frapper un spectateur, ou traiter de « sac à merde » un sélectionneur de l'équipe de France. Un grand talent de footballeur par ailleurs. Brocardé pour ses postures de peintre ou de poète, il ne fut jamais aimé dans le « petit milieu » du football français, s'exila en Angleterre, où il devint une icône. Cantona se veut un sportif atypique, en prise sur son époque. D'autant plus aliéné par l'époque, donc. Le statut du footballeur a beaucoup changé depuis quinze ans. Naguère, c'était un ouvrier qui avait réussi à sortir de sa condition ; un boxeur sans les coups dans la gueule. Platini et Rocheteau, dans les années 1980, avaient encore ce statut. On ne connaissait pas leur femme, elles étaient des madame tout le monde. Depuis la mondialisation du football, leur fortune a explosé. Leur statut a changé. Ils sont devenus pour les garçons ce que les chanteuses sont aux filles. La Coupe du monde est devenue une immense et universelle « Star Academy ». Ils incarnent le bon côté de la société mondialisée, métissage et Ferrari. David Beckham (et sa femme) exploite froidement et rationnellement cette « peoplisation » du football. Boucle d'oreille, vêtements raffinés, produits de maquillage sur la peau, Beckham est l'incarnation des nouveaux hommes féminisés, les fameux « métrosexuels ». Zidane a connu sa femme avant de devenir une star ; c'est pourquoi sans doute elle est une (charmante) madame tout le monde ; Zidane est une sorte de dinosaure dans son milieu. Pour les autres, les femmes ne suffisent plus, il leur faut des mannequins ; un des vainqueurs de la coupe du monde en 1998, Christian Karembeu, est marié à Adriana, un mannequin vedette venu d'Europe de l'Est, devenue célèbre grâce à la publicité des soutiens-gorge Wonderbra. Ils incarnent une sorte de couple improbable, un couple Benetton, archétype de fantasme politiquement correct du métissage. Un peu une resucée moderne de la belle et la bête, aussi. On a longtemps prêté à Barthez une liaison avec Linda Evangelista ; le meilleur joueur brésilien Ronaldo vient d'épouser un mannequin. Avec sa spontanéité habituelle, Cantona vend la mèche : ce n'est pas une femme qu'il veut, ce n'est pas une femme qu'ils cherchent tous, mais un travesti qui serait un peu des deux. Dans la vraie vie, ça s'appelle un mannequin.

Un mannequin, on croit savoir confusément ce que c'est. Une belle fille. Une grande fille. Un rêve de garçon qui a remplacé les stars du cinéma dans la fantasmagorie masculine. On n'a rien compris, rien deviné, rien vu venir. C'est désormais dans les ateliers de haute couture que les docteurs Folamour de la beauté nous préparent le monde de demain. Dans une interview Karl Lagerfeld décrit ainsi les nouvelles beautés de quinze ans qui viennent surtout de l'Est : « Elles n'ont pas beaucoup de seins. Elles sont absolument impeccables, elles entrent dans les robes sans aucun problème. C'est difficile à expliquer, c'est une autre silhouette, une autre attitude du corps... Le corps "mode" d'aujourd'hui, c'est une silhouette faite au moule, d'une étroitesse incroyable, avec des bras et des jambes interminables, un cou très long et une très petite tête[1]. »

Des mutantes. Avec des corps de garçons. Ces mannequins, à la si petite tête, qu'il trouve mélancoliques et pas très drôles, n'ont qu'une détestation : « C'est quand on les transforme en bimbos. » Horreur, des seins, un cul, un côté aguicheuse, trop sensuel, trop féminin : « C'est vulgaire. »

Plus loin, Karl Lagerfeld passe en revue les beautés de l'époque. De Jennifer Lopez, il dit : « Elle a un gros derrière, une jolie peau ; elle correspond au goût de l'homme de la rue. Car les mannequins qui marchent dans la rue, les hommes de la rue ne les regardent pas. »

---

1. Françoise-Marie Santucci et Olivier Wicker, « Karl Lagerfeld : "Des bras et des jambes interminables et une très petite tête" », *Libération*, 28 janvier 2005.

Enfin, quand on lui demande si, « à travers ses images publicitaires, il ne participe pas à une quête d'esthétisme, de maigreur et de perfection très névrotique pour beaucoup de femmes », il répond avec une rude franchise : « C'est l'histoire de l'apprenti sorcier. Je pousse ce que je crois correspondre à l'évolution de l'esthétique. Si ça entraîne des névroses, je n'y peux rien. »

C'est la vieille rengaine d'Oscar Wilde (Boileau le disait déjà) : « La nature imite l'art. » La nature féminine se transforme sous le crayon des créateurs de mode. L'époque aime à se moquer des corsets d'antan. Les corsets d'aujourd'hui sont autrement plus féroces. Ils travaillent sur la chair même, qu'ils modèlent à leur guise. Leur bistouri, c'est l'image. Ils entraînent l'humanité consentante vers des corps de femmes sans seins ni fesses, sans rondeur ni douceur, des corps de mec, longs et secs. Ce sont leurs fantasmes que les créateurs de mode imposent à l'humanité (encore une fois consentante), leurs fantasmes d'homosexuels (puisque l'énorme majorité d'entre eux le sont), qui rêvent davantage sur le corps d'un garçon que sur celui d'une femme. Ils l'ont toujours été, homosexuels, mais autrefois les grands créateurs se soumettaient à un modèle féminin, fantasmé par les hommes. Ce n'est plus le cas. Encore une fois, avec une rude franchise, Karl Lagerfeld dit tout : « Je crois qu'il ne faut pas trop personnaliser les dialogues avec ses supposées clientes. Moi, je travaille avec une vision presque abstraite de cette cliente. Ce n'est pas à moi d'en faire une réalité commerciale par une espèce de terrorisme totalitaire, à force de publicités par exemple. Je propose aux autres de choisir. » C'est pourtant exactement ce qui se passe et Lagerfeld le sait mieux que quiconque. La machine médiatico-marchande donne une puissance inégalée à leurs fantasmes. Jadis, Madame Bovary prenait un amant pour connaître la vie rêvée des Parisiennes dont elle lisait les aventures dans la littérature de gare. Aujourd'hui, les jeunes filles, toujours au bord de l'anorexie, se fabriquent un corps de garçonnet pour plaire à des créateurs homosexuels qui n'aiment pas les femmes, qui les considèrent comme de simples « portemanteaux », et les terrorisent pour quelques grammes de trop, quelques onces de rondeur, de douceur, de féminité qu'ils ne veulent pas voir. Le snobisme mimétique des hommes – avoir la femme qui prouvera aux yeux des autres hommes qu'ils ont réussi, comme une belle voiture de sport – les pousse à désirer ces femmes. La bataille de l'élite est donc gagnée. En revanche, comme le remarque Lagerfeld, toujours très fin, l'homme de la rue résiste. Lui continue à désirer « le gros derrière » de Jennifer Lopez, les rondeurs de Sophie Marceau ou Monica Belluci, la « beauté grecque » de Laetitia Casta. Et reste insensible aux charmes androgynes des mannequins russes.

Affrontement exemplaire où l'homme d'en bas est moqué, brocardé, traité de beauf archaïque, suranné. D'« hétéro de base », suprême insulte. De macho qui aime les bimbos. Un vulgaire.

La presse féminine est chargée d'exposer sur papier glacé les beautés androgynes. L'évolution fut lente, mais irrésistible. Les corps sculptés et musculeux des sportives furent d'abord donnés comme modèles. Les hommes, volontaires ou non, rétifs ou non, furent priés d'adopter ce nouvel idéal de beauté. Une mutation inouïe. Pendant des siècles, la mollesse alanguie d'un corps rond fut le standard incontesté. La presse féminine apprend aussi aux femmes à aimer des hommes soignés, épilés, doux. Les poils sont le symbole du mal. Elle les éduque surtout à honnir les « machos » caricaturés en buveurs de bière abêtis devant un match de football télévisé. Elle porte au pinacle les hommes qui « font du shopping avec vous ». Cette mise en condition est internationale. On pouvait ainsi lire sur un site féminin canadien : « Qui ne rêve pas de magasiner avec son homme (sans se chicaner), de le voir mettre sa crème antirides, ses pieds tout doux vous effleurant sous les couvertures la nuit… »

Depuis quelques années, la télévision a donné de l'ampleur à ce conditionnement des goûts et désirs. La mise sur orbite de personnages androgynes comme Steevie ou Vincent McDoom était encore inimaginable il y a seulement dix ans. Avec « Queer, cinq experts dans le vent », une émission qui a eu un gros succès aux États-Unis, TF1 a proposé, comme le clamait la bande-annonce, « l'histoire d'une équipe de pygmalions au service d'un seul homme qu'ils transforment en un véritable *Pretty Man* : boutiques, coiffeur, institut de beauté – un petit peu de cire arrangera ces poils dans le dos, beurk ! – avec arrêt à la salle de sport pour s'avouer à soi-même, devant son reflet dans le miroir, que “oui, j'ai baissé les bras mais je suis décidé à changer”. Et détour par le fleuriste, le primeur, pour apprendre à préparer un dîner en amoureux équilibré et romantique, fleurs à l'appui. [...] Les Queer sont à pied d'œuvre pour faire de leur cobaye un véritable idéal masculin ».

Les pygmalions sont homosexuels ; ils sont chargés d'enseigner à un pauvre « hétéro de base », fou de foot et de voitures (bien sûr), goujat qui ne fait jamais la vaisselle et ne connaît pas l'adresse du fleuriste le plus proche, l'art de séduire, reconquérir, conserver la femme de sa vie. Ils lui apprennent à s'habiller, et non simplement se vêtir, à se faire coiffer, et non seulement se faire couper les cheveux. À décorer sa maison avec art, et non seulement la meubler. Surtout, ils lui font la morale, lui montrent comment se comporter avec une femme, avec délicatesse et raffinement. Dans les comédies « homo-sexuelles » lourdingues, c'était la « tante » qui imitait le camionneur. Désormais, c'est le camionneur qui prend des leçons auprès de la tante. Des homosexuels qui apprennent à un homme à aimer une femme ! Et les femmes sont ravies. Elles plébiscitent les hommes reconfigurés par la plastique, l'esthétique, le raffinement homosexuels. L'homme qui leur plaît est celui qui leur ressemble. La différence, physique, sociale ou psychologique, est désormais assimilée à l'inégalité, nouveau péché mortel de l'époque. À leur peur archaïque du phallus, du « viol de la pénétration », les femmes d'aujourd'hui répondent par un malsain désir du même, une immense tentation lesbienne.

Les mêmes mots, les mêmes rejets, les mêmes engouements se retrouvent ainsi chez les militants homosexuels et les féministes, au point que l'on peut parler d'alliance objective. Les rares hommes politiques qui assument ou revendiquent leur homosexualité sont aussi les féministes les plus ostentatoires. Il y a une rencontre sociologique, au cœur des grandes villes, entre homosexuels, militants ou pas, et femmes modernes, pour la plupart célibataires ou divorcées. Le cœur de cible de ce fameux électorat bobo. Mêmes revenus, mêmes modes de vie, même idéologie « moderniste », « tolérante », multiculturelle. À Berlin, Hambourg et Paris, ces populations ont élu comme édiles trois maires homosexuels – et fiers de l'être – qui ont la conviction de porter un nouvel art de vivre, une nouvelle Renaissance. Peu à peu, la production, l'activité industrielle, toute activité productive ou même de négoce de marchandises ont été expulsées de ces villes transformées en musée pour touristes ou casino virtuel pour prédateurs de la finance – l'industrie, c'est sale, c'est noir, c'est un travail d'hommes aux mains calleuses et aux mœurs rudes. Peu à peu, les ouvriers puis les classes moyennes ont été expulsés de ces paradis par la spéculation immobilière, il ne reste plus que les gens très aisés, les fameux bobos, et les familles immigrées, avec ou sans papiers, mono ou polygames, peu importe, puisque leur rôle est de servir – à bas prix – les nouveaux maîtres de la culture et de la fête.

L'alliance n'est pas le fruit du hasard. Le féminisme est une machine à fabriquer du même. Or le désir, lui, repose sur l'attraction des différences. En réduisant les potentialités de désir entre femmes et hommes, le féminisme faisait un bon travail pour les homosexuels, il éloignait les hommes des femmes, il étendait le champ d'action des homosexuels. Les féministes s'y retrouvaient aussi car elles ont toujours considéré, en le disant ou sans oser le dire, la pénétration comme une conquête, une invasion, un viol même lorsqu'elle est consentie. Ce qui n'est d'ailleurs pas faux. Tous les mots du vocabulaire viril qui évoquent l'acte sexuel ont un rapport avec la force et la tromperie : prendre, posséder, baiser, niquer, sauter. Mais au fil du temps, les femmes sont devenues les otages des homosexuels. Elles ont lié leur sort à celui de leurs ennemis.

Tout le travail idéologique des féministes et des militants homosexuels a consisté à « dénaturaliser » la différence des sexes, à montrer le caractère exclusivement culturel, et donc artificiel, des attributs traditionnellement virils et féminins. La déconstruction sexuelle a sapé toutes les certitudes des uns et des autres. C'était le but recherché. Il s'agissait de montrer comment cette fameuse « nature » n'est que le produit de logiques culturelles et sociales. Ce n'est pas tout à fait une découverte. Pascal en son temps écrivait déjà : « Je crains que ce que l'on appelle la nature ne soit qu'une somme d'habitudes, et que l'habitude soit une seconde nature. » Mais ce chrétien n'aurait jamais imaginé que l'on oserait remettre en cause le récit des origines par la Bible : « Et Il les créa homme et femme, à son image. » La tradition judéo-chrétienne repose sur cette distinction essentielle, hommes et femmes séparés dans les fonctions et les rôles, séparés dans les lieux de culte (jusqu'à aujourd'hui dans les synagogues). Cette distinction s'inscrit d'ailleurs dans un cadre plus général, distinction entre sacré et profane, pur et impur, privé et public, lait et viande (les juifs n'ont pas le droit de cuire la viande avec du lait), indigène et étranger. C'est une conception du monde qui repose sur la distinction, dans tous les sens du terme. Une conception du monde que la confusion moderne des genres vient délibérément subvertir. Toutes les frontières sont ainsi abolies, tout vaut tout, plus de sacré et de profane, plus de privé et de public, plus d'indigène et d'étranger, de pur et d'impur. Plus d'homme ni de femme. C'est une société du désordre qui a supplanté une société de l'ordre. Comme l'a dit Alain Finkielkraut : « Autrefois, la subversion était le contraire de la tradition ; aujourd'hui, la subversion est notre tradition. »

Je compris la puissance des mouvements engagés un jour d'hiver, lorsque je devinai sur un immense panneau Decaux des formes callipyges enrobées dans un délicat tissu rouge ou bleu, orné de lisérés. Mon regard de myope comprit tout de suite que c'était une publicité vantant des dessous, une parmi d'autres. C'était froufroutant, rond, charmant. Délicieusement féminin. Il ne manquait que bas et porte-jarretelles. De plus près, j'estimai les cuisses du mannequin plutôt musclées. Je songeai, rigolard, que les mannequins russes avaient dû prendre les restes de produits dopants qu'avaient laissés leurs grandes sœurs, athlètes d'URSS et de RDA. Je revis cette affiche sur tous les abribus de Paris en ce début d'année 2005. Ce n'est qu'assis sur le banc de l'un d'entre eux que je m'aperçus que les cuisses, les fesses, le dos parfaitement glabre appartenaient à un homme. J'ai alors perdu l'envie de rire. Nous sommes, cette fois, au-delà d'une thématique homosexuelle, même si elle est évidemment imprégnée des codes gays ; non, c'était une campagne tout simplement féminine pour des dessous masculins. Une première.

Je songeai aux campagnes joyeusement métissées de Benetton dans les années 1990. Alors, les sociétés occidentales s'interrogeaient encore sur les mérites comparés du retour des immigrés et de l'intégration. La France était en première ligne. Elle a choisi « l'intégration ». La société multiculturelle, celle dictée par les campagnes Benetton, nous y sommes. Dix ans après, seulement. Pour le meilleur et pour le pire. Le publicitaire n'est pas un prophète ; c'est le bras armé de l'idéologie dominante. Sous des airs ludiques, il est un officier supérieur du capitalisme. Or, contrairement à ce que nous ont seriné des mauvais émules de Marx, le capitalisme n'est ni réactionnaire ni conservateur. Le capitalisme est authentiquement révolutionnaire, partant toujours à gauche depuis le XVIIe siècle, pour la révolution anglaise, puis la hollandaise, puis l'américaine, enfin la française. Pour les bourgeois contre les aristos. Pendant longtemps, le système capitaliste a eu besoin de producteurs, d'épargnants pour financer son développement. Puis de consommateurs sages pour acheter voitures, machines à laver, chauffe-plats et micro-ondes. Le capitalisme protégeait donc la famille traditionnelle. Ce temps est révolu. La production, les Chinois s'en occupent. Les Européens, dans la nouvelle division internationale du travail, sont chargés de consommer des produits qui n'ont aucune réalité, des produits-marques, dont le prix dépend avant tout de leur force imaginaire. On connaît la chanson de Souchon, *Foules sentimentales* : « Oh la la la vie en rose/Le rose qu'on nous propose/d'avoir les quantités d'choses/qui donnent envie d'autre chose. » Et puis plus loin : « On nous inflige/des désirs qui nous affligent. » Les nouveaux consommateurs visés ne sont pas des familles, à la consommation austère et ennuyeuse, mais des individus légers comme des bulles, qui « s'éclatent », achètent des images. Des individus-marques, transparents au marché. Les publicitaires n'annoncent pas la société qui vient ; ils sont chargés de l'imposer à grands coups de propagande. Ils sont grassement payés pour cela. Ils ont jugé que, homosexuels ou hétérosexuels, tous les hommes devaient adopter les valeurs ludiques et festives des « gays » : homosexuel est d'ailleurs un mot d'un autre temps, qui signifiait une tentative scientifique de les cataloguer, encadrer, contenir, au profit d'une vision familiale, hétérosexuelle, de la société. Pour traduire la nouvelle société, où les homosexuels non seulement ne sont plus discriminés, mais au contraire incarnent l'humanité future, un nouveau mot s'imposait : ce sera gay. À relier à « macho ». Les deux faces d'une même médaille. À gay la lumière, à macho l'ombre. À gay le bien, à macho le mal. À gay l'homme féminisé porté aux nues, à macho l'homme bêtement viril, dénigré, méprisé. Ostracisé.

Cette affiche prouve, comme celles de Benetton il y a dix ans, que le capitalisme – les grandes entreprises mondiales en tout cas qui en sont la quintessence –, après avoir opté pour la société multiraciale et multiculturelle, a une fois encore choisi son camp, celui de la féminisation des hommes. La touche ultime d'un projet authentiquement révolutionnaire de fabrication frankesteinienne d'un homme sans racines ni races, sans frontières ni pays, sans sexe ni identité. Un citoyen du monde métissé et asexué. Un homme hors sol.

C'est une simple histoire de cohérence. Et de rentabilité. Prenons quelques chiffres. Un homme sur cinq s'épile, 32 % utilisent des cires, 53 % pensent que c'est une bonne chose qu'il existe des instituts de beauté réservés à la clientèle masculine. « Avec des ventes en France de 679 millions d'euros, le marché des cosmétiques pour homme représente 10,4 % du chiffre d'affaires de la Fédération de la parfumerie. Toutefois les chiffres de vente de ce secteur ont doublé en dix ans et progressent actuellement de 30 % par an, de quoi attiser les appétits des marques. Après l'explosion en 2003 des soins du visage pour hommes (augmentation de 87 % des ventes en un an), 2005 s'annonce comme un "plébiscite des produits 'contour des yeux'et des soins anti-âge" », souligne Fabien Petit-colin, acheteur beauté pour le Printemps, premier grand magasin à avoir abrité un institut de beauté pour hommes en 1999[1].

« En deux ans, le marché des cosmétiques masculins a doublé et celui des bijoux semble

1. Véronique Lorelle, « L'homme se refait une beauté », *Le Monde*, 28 mai 2005.

prendre le même chemin. Preuve que la demande est bien là, la surface de vente qui leur est consacrée dans les grands magasins a notablement augmenté. Le Printemps Hommes envisagerait de créer à la rentrée, à l'entrée du magasin, un espace dédié à cette nouvelle vague. On ne compte plus les marques (de Dior à Vuitton en passant par Le Manège à bijoux Leclerc) qui ont créé des lignes hommes. Colliers, gourmettes, bagues, viennent signer la silhouette masculine... Si les homos ont été parmi les pionniers, aujourd'hui les hétéros osent de plus en plus... David Beckham dont les oreilles avec ferrets de la reine font pâlir d'envie les croqueuses de diamants... Les métrosexuels et leurs copines ont rejoint les homos... Avant les idiots disaient "Ça fait gonzesse", mais aujourd'hui c'est fini, on a beaucoup moins de préjugés, estime Christian, trente-sept ans[1]. »

Selon la Fédération nationale de la coiffure française, la fréquentation des soixante mille salons de l'Hexagone a augmenté de 3,5 % en 2004 en ce qui concerne les hommes. Le chiffre d'affaires des coiffeurs pour le « secteur masculin » a même grimpé de 6,3 %. Un signe qui ne trompe pas : les hommes ne tolèrent plus la négligence. « Auparavant, ils venaient nous voir pour rafraîchir leur coupe de temps en temps », explique Max Laffite, coiffeur studio pour Jean-Louis David. « Leur visite relevait plus de la nécessité que de la coquetterie. Aujourd'hui, ils ont envie d'avoir des cheveux beaux en permanence et

1. Marie-Hélène Martin, « Les bijoux roulent sur l'homme », *Libération*, 17 juin 2005.

de changer de look régulièrement...[1]. » La prochaine étape sera la chirurgie esthétique. Les premiers audacieux l'ont déjà osée. Sur leur torse glabre, soigneusement épilé, ils se font greffer des pectoraux d'haltérophile.

Le poil n'est pas traqué par hasard. Il n'est pas éradiqué du corps des hommes pour de seules raisons mercantiles. Le poil est une trace, un marqueur, un symbole. De notre passé d'homme des cavernes, de notre bestialité, de notre virilité. De la différence des sexes. Il nous rappelle que la virilité va de pair avec la violence, que l'homme est un prédateur sexuel, un conquérant. Il est la preuve à l'adolescence que l'homme s'éloigne de l'enfant qu'il fut ; et de la femme qu'il n'a jamais été. Pendant des siècles, nature et culture se sont donné la main, les femmes traquant les rares poils qu'elles possédaient, les hommes arborant fièrement, comme un étendard viril, leur pilosité. L'épilation masculine marque une volonté d'en finir avec notre virilité ancestrale ; elle signale une quête d'enfance perdue, de pureté, d'innocence, de douceur, de faiblesse. De féminité. De confusion sexuelle. C'est une authentique rupture historique. « Le lisse féminin et le dru masculin ont constitué, à quelques exceptions remarquables près, le paradigme de la beauté et de la normalité dans l'histoire de l'Occident[2] », ne manque pas de rap-

---

1. Claire Mabrut, « Le boom de la couleur au masculin », *Le Figaro*, 18 novembre 2005.
2. Christian Bromberger, Pascal Duret, Jean-Claude Kaufmann, David Le Breton, François Singly et Georges Vigarello, *Un corps pour soi*, PUF, 2005.

peler Christian Bromberger, professeur d'ethnologie à l'université de Provence à Marseille.

Derrière ce corps soigneusement émondé se dessine un autre monde. Nietzsche disait : « La femme n'aurait pas le génie de la parure si elle ne savait d'instinct qu'elle joue le second rôle. » L'homme apprend désormais à se parer. Il apprend vite.

À la fin de l'année 2004, le premier secrétaire du Parti socialiste, François Hollande, répond à une interview. Il vient de remporter le référendum interne au PS sur la Constitution européenne. Il incarne à gauche la nouvelle génération, la relève, les cinquantenaires. Il veut être le Sarkozy du Parti socialiste. Il triomphe, plastronne, avec un brin de mélancolie déjà, sur le passé si proche mais qui n'est déjà plus, sur cette excitation de la lutte, de la campagne électorale, de la bataille, des arguments qui s'échangent, de cette peur de la défaite, de cette volonté de vaincre, de convaincre, d'écraser l'adversaire, de cette adrénaline qui monte, monte, véritable drogue des fauves de la politique. Pour expliquer ce qu'il ressent, ce grand vide soudain après ce trop-plein d'émotions, il a cette formule admirable : « C'est comme un baby blues après un accouchement. » Comme si un homme de cette génération devait chercher chez la femme l'expression de ses sensations, de ses impressions !

Les hommes politiques sont plus que l'on ne croit le reflet d'une époque. Ils sont à la fois au-dessus, ailleurs, et au milieu de leurs contemporains. S'ils l'oubliaient, leurs communicants leur rappelleraient où souffle le vent. Au Parti socialiste, François Hollande est justement brocardé pour sa rondeur, sa quête consensuelle, sa difficulté à décider, trancher ; un de ses surnoms est « Guimauve le conquérant ». Hollande raccommode et circonvient. Embrouille, brouille et débrouille. Très intelligent, il est doué d'un instinct de survie exceptionnel, mais il ne possède pas l'instinct de mort. Nul ne parvient à le tuer, mais lui non plus ne tue aucun de ses ennemis. Machiavel a écrit qu'un prince doit être à la fois renard et lion ; Hollande n'est qu'un renard. Il n'est pas un patron, mais un animateur ; il n'est pas un roi même en gestation, mais un régent. Il possède peu de vertus viriles, mais toutes les qualités féminines. Étonnamment moderne. Pour justifier son incapacité à incarner la gauche à la manière impérieuse et monarchique d'un Mitterrand ou même d'un Jospin voire d'un Fabius, Hollande proclame : « Je ne suis pas de la tradition de l'homme providentiel. » Il croit ainsi se rattacher à toute l'histoire de la gauche antibonapartiste et antigaulliste. Et si le mot le plus important dans sa phrase n'était pas « providentiel » ? Dans le couple qu'il forme avec Ségolène Royal, c'est elle, corps élancé et port de tête impérieux, qui assène et ferraille. Ségolène Royal est une féministe impatiente, vindicative même, qui ne manque jamais une occasion de dénoncer – ou de provoquer habilement – le « machisme » de ses camarades socialistes. Elle est aussi l'adversaire la plus déterminée – avec Christine Boutin – de la pornographie, même lorsque celle-ci se veut « chic » dans la publicité. Ce n'est nullement au nom de la morale qu'elle se dresse, vestale menaçante, mais de la protection de l'enfance et de la dignité des femmes. Ainsi, Ségolène Royal incarne-t-elle la synthèse du vieux puritanisme catholique de son enfance et du farouche égalitarisme féministe. Elle est à la confluence de deux mouvements historiques qui se confondent aujourd'hui. Sa popularité époustouflante atteste la pertinence de son positionnement médiatique et politique.

Dans les années 1970, Jacques Chirac scandait ses agapes arrosées avec ses compagnons du RPR par la truculente devise des hussards napoléoniens : « À nos femmes, à nos chevaux, et à ceux qui les montent ! » Après chacune de ses campagnes présidentielles, un Jean-Marie Le Pen plonge dans un vide mélancolique qui n'est pas très différent de celui exprimé par François Hollande. Simplement, pour l'expliquer, il emploie d'autres mots que ne renierait pas un Chirac : « Post coïtum animal triste. » Avec François Mitterrand, la sacralisation de l'amitié fut telle qu'elle finira par lui poser de graves difficultés politiques ; Mitterrand ressemblait aux personnages des films français des années 1970, de Claude Sautet (*Vincent, François, Paul et les autres*) ou de Claude Lelouch (*L'aventure c'est l'aventure*), avec des bandes d'hommes qui vivent, rient, draguent, aiment, s'engueulent entre mecs, comme dans un vestiaire de football.

Dans les combats politiques, c'est toujours le mâle dominant qui finit par l'emporter, le roi de la forêt, le caïman. Celui qui, à force de férocité, révèle la faiblesse de ses rivaux, leur féminité inconsciente, qui les transforme en maîtresses transies, quêtant ses faveurs. C'est ainsi que

Mitterrand a « révélé » et écrasé Rocard, Chirac a fait de même avec Séguin ou Pasqua. L'essence de la politique, c'est Éros – susciter le désir des électeurs et des alliés – et Thanatos – tuer l'adversaire. Les hommes politiques dégagent une telle énergie vitale pour séduire les électeurs qu'ils deviennent des machines à susciter le désir. Ceux qui sont trop inhibés – à l'instar d'un Édouard Balladur – sont impitoyablement éliminés par le suffrage universel. Les autres en profitent passablement. La plupart des politiques sont connus pour être d'insatiables conquérants sans que leurs qualités d'amants aillent forcément de pair. Nos trois derniers présidents, Giscard, Mitterrand et Chirac, ont renoué avec les pratiques de nos anciens rois. Le pouvoir reste manifestement un aphrodisiaque exceptionnel. Le chauffeur de François Mitterrand raconte qu'à partir de mai 1981, une femme différente venait chaque soir à l'Élysée. Il a vu des maris « offrir » littéralement leur épouse au monarque. Le chauffeur de Jacques Chirac ne raconte pas autre chose, même lorsque ce dernier n'était encore que maire de Paris.

En notre époque de stricte égalité, tout le monde aimerait que l'inverse soit vrai. La rumeur prête à nos femmes politiques des vies sexuelles débridées, dignes de Catherine II de Russie. Or, les rares qui osent évoquer le sujet, telles Roselyne Bachelot (député européen UMP) ou Clémentine Autain (adjointe communiste au maire de Paris), avouent qu'au contraire leur nouvelle légitimité démocratique semble avoir découragé les prétendants. « À côté de nos collègues masculins, nous sommes des nonnes », proclame avec une pointe de regret Roselyne Bachelot. « On ne me drague plus », avoue Clémentine Autain malgré ses jolis yeux bleus. Comme si cette féministe militante découvrait à son détriment les rapports étroits qu'entretiennent depuis toujours le pouvoir et le phallus, rapports qu'elle avait justement voulu nier.

Les règles de la politique ne changent pas, mais les formes se transforment. Il y a seulement dix ans, jamais une épouse de politique n'aurait assisté à un meeting, une convention de parti. Désormais, elles trônent toutes aux premiers rangs, elles se battent pour des questions de préséance dignes des célèbres querelles de tabourets à la cour de Louis XIV. Mis à part Bernadette Chirac, aucune n'est élue au suffrage universel. Cette intrusion des épouses n'a rien à voir avec la parité. Il s'agit d'un phénomène que l'on peut qualifier de « couplisation » de la vie politique. Elle paraît inexorable, accentuée par la « peoplisation » de la politique. *Paris-Match*, *Elle* et la télévision en sont les vecteurs efficaces. Cette « couplisation » est une manière de féminiser très efficacement la vie politique, alors que la parité a des ratés. Les électrices sont moins dogmatiques, elles osent moins les choix transgressifs, votent moins pour les extrêmes, pour le Front national en particulier, les idées ont moins d'importance que les personnalités. Le couple est la valeur féminine par excellence. Nicolas et Cécilia Sarkozy furent en pointe dans cette évolution. Cécilia était ambitieuse, comme son mari ; Nicolas était prêt à tout pour devenir président de la République. Des études d'opinion, l'exemple américain l'avaient convaincu que les Français éliraient désormais à l'Élysée un couple et non plus un homme seul. La présence de Cécilia à ses côtés féminisait, adoucissait une image qui reposait jusqu'alors sur l'action, la décision, la virilité exacerbée. Cette stratégie s'est révélée fort dangereuse, comme on le vit au printemps et à l'été 2005. Elle fragilise le couple puisque la femme devient une proie plus alléchante ; la faiblesse de l'une porte préjudice à l'image politique de l'autre ; la pression médiatique est difficile à supporter.

Lorsque Cécilia prend subitement la poudre d'escampette à Amman, la passion médiatique monte très vite à son comble. Dans les rédactions on « ne parle » que de ça. Pourtant, nous étions alors à quelques jours du référendum sur la Constitution européenne du 29 mai. Un journal suisse conta dans le détail les fredaines de Nicolas qui expliqueraient la « vengeance » de la femme délaissée. Nous étions en plein vaudeville. Les conseillers de Sarkozy s'interrogèrent gravement pour savoir si les Français s'identifieraient à l'homme bafoué ou déviriliseraient le cocu. Sarkozy avait inventé un nouveau genre, la télé-réalité politique, il en essuyait les plâtres. Il assuma crânement la situation qu'il avait lui même créée. Après un – court – moment d'hésitation, Sarkozy s'invita au journal de France 3. Il montra une fois encore son exceptionnelle capacité à parler la langue de l'époque. Il ne dit pas en effet « je suis cocu », qui aurait fait commedia dell'arte ou farce de Molière ; ni « ma femme m'a surpris avec une maîtresse, pantalon sur les genoux, pour se venger, elle a pris un amant », qui aurait fait théâtre de boulevard de la Belle Époque. Non, il dit : « Comme des millions de familles, la mienne a connu des difficultés. Ces difficultés, nous sommes en train de les surmonter. Mais j'ai bon espoir. Elles vont s'arranger. » Il reprit ainsi au mot près le discours convenu des journaux féminins, dont la rubrique « comment régler vos problèmes de couple » est aussi rituelle que « perdre 3 kilos avant l'été ». Aujourd'hui, il n'y a plus de cocu, plus d'infortune, plus de femme trompée ni d'homme trahi (ou l'inverse), plus personne n'est ridicule ou malheureux, il n'y a plus que des « problèmes de couple ». Car il n'y a plus d'individu, homme ou femme, il n'y a plus que des couples. Avec leurs difficultés, leurs problèmes. Le couple, sa naissance, sa vie, sa mort.

Cette féminisation atteint l'ensemble de l'échiquier politique. Le Pen lance sa fille pour « adoucir » l'image du FN. Même les trotskistes, jadis les purs et durs de la Révolution, découvrent la tendresse : « Les sentiments ont choisi notre camp. Aimer, c'est partager. Faire la révolution aussi. La révolution est le contraire de la violence. elle est un tendre engagement. Elle répond à l'aventure collective qui sommeille en chacun de nous. Elle est un principe de vie. » Ces quelques lignes sont tirées de *Révolution, 100 mots pour changer le monde* d'Olivier Besancenot, un ouvrage qu'il faut comparer aux textes martiaux, véritables appels au meurtre de masse, de Léon Trotski. Autrefois, la Révolution, c'était donner la mort aux ennemis de classe sans hésiter. Aujourd'hui, c'est un geste d'amour. La vie plutôt que la mort. Accusé d'antisémitisme sur le plateau de Thierry Ardisson, Olivier Besancenot pleure. Ses larmes sont le degré zéro dans le monde d'hommes de la casuistique révolutionnaire ; elles sont l'arme absolue dans un monde féminin de l'émotion télévisuelle. Avec Besancenot, les trotskistes ont renoncé définitivement à prendre le pouvoir réel ; ils visent à influencer la médiasphère virtuelle, pour transformer la société par l'influence médiatique.

Les adversaires rhétoriques de ce cher Besancenot, au Medef, appliquent les mêmes méthodes. Comme pour les trotskistes, l'ombre virile a longtemps obscurci l'image publique du syndicat patronal. On se souvient en effet que, lors de la mise en place des 35 heures, le patron du CNPF d'alors, Jean Gandois, furieux d'avoir été floué par le ministre des Affaires sociales, Martine Aubry, avait démissionné, furibond : « Il faut un tueur à ma place. » Le tueur eut pour nom Ernest-Antoine Seillières. L'image du baron ne s'en remit jamais. Il aura retenu la leçon. C'est lui qui poussa en avant la candidature d'une femme, la patronne de l'institut de sondages Ifop, Laurence Parisot. La bataille médiatique fut gagnée sans difficulté. Parisot ne tarda pas à en tirer les bénéfices. À l'université d'été du Medef en août 2005, elle expliqua benoîtement que « si l'amour, la santé, la vie étaient précaires, le travail pouvait l'être aussi », avant de révéler que l'ambition de l'organisme patronal était de « réenchanter le monde ». C'était beau comme un slogan publicitaire. C'était un slogan publicitaire. En modifiant son nom, du CNPF à Medef, l'organisme patronal a aussi changé de rôle et d'objectifs. Le CNPF était chargé de négocier avec les syndicats ouvriers augmentations de salaires et avantages sociaux. Nous étions encore dans la mythologie industrielle du XIXe siècle, pas tout à fait sortis de *Germinal*, un monde d'hommes où on s'affrontait rudement. Désormais, le Medef ne négocie pas car il n'y a plus rien à négocier. Dans le cadre de la mondialisation, le rapport de forces est tellement favorable au patronat que ce dernier n'en a plus besoin. Le Medef a donc un rôle nouveau de diffuseur d'idéologie dans un monde virtualisé. Le baron Seillières, un homme, aristocrate de surcroît, dont le patronyme évoque le Comité des forges, était dans ce contexte une grave erreur de casting. Le choix de Laurence Parisot, une femme, venue de l'univers des services, de la communication et des sondages, est en revanche parfaitement adapté à la nouvelle donne.

La dame de l'Ifop est par ailleurs en phase avec l'évolution au sein des entreprises où le management autoritaire, solaire, de ses collaborateurs pris séparément par le patron, un management viril, cède peu à peu la place à un management nouveau, où la consultation, la concertation permanentes, l'écoute et le dialogue, la recherche effrénée du consensus, la quête obsessionnelle de la sécurité sont privilégiés. Le paternalisme est remplacé par le maternalisme. Des séminaires de « management féminin » sont organisés pour former hommes et femmes aux nouvelles méthodes en vogue. « L'entreprise est devenue un univers complexe bourré d'incertitudes, où le management hiérarchique et vertical est devenu dépassé pour faire place à une version beaucoup plus intuitive où il faut mobiliser l'intelligence collective par le dialogue et l'écoute. Ces exigences donnent aujourd'hui une place privilégiée aux talents féminins », pérore ainsi dans *Le Nouvel Économiste* un certain Vincent Lenhardt, patron (on n'ose employer ce mot désuet) du cabinet Coaching Transformance. L'ancien discours technocratico-militaire est remplacé par un vocabulaire euphémisé, adouci, moins « traumatisant ». Féminin. Des grands groupes comme IBM ou Total ont nommé des « directeurs de la diversité », afin de pousser les femmes dans les hautes sphères dirigeantes où elles ne se bousculent guère. Il est vrai que les hommes, bien coachés, jouent déjà aux femmes sans complexes. Certains se plaignent que la vie des entreprises soit désormais encombrée par ces nouveaux managers qui n'osent ordonner, diriger, imposer, refuser, sanctionner, même lorsque cela se révèle nécessaire. Mais ils le font à mi-voix de peur d'être rabroués. Pas fémininement correct.

Et puis il y a la vie, des vrais gens comme on dit dans les partis politiques, celle de tous les jours, les hommes et les femmes, et les enfants, les amours et les désamours, les idylles et les ruptures, les mariages et les divorces, les enfants et les familles recomposées, les histoires des uns et des autres, les confidences entre filles, les silences rageurs entre garçons, ce qu'elles se racontent entre rire et désarroi, ce qu'ils se disent entre vantardise et lassitude, l'histoire du type « qui souffre dans son corps » d'être quitté par une femme, qui perd six kilos, qui ne veut plus vivre une « nouvelle aventure », qui « veut faire son deuil » ; celle du mari qui, à la naissance de son enfant, joue aux mères de famille infatigables, se levant toutes les nuits, biberons, couches et poche kangourou au parc, puis au bout d'un an s'en va avec une autre. Un homme qui quitte sa femme, la mère de son fils, parce qu'il a connu une aventure, et lui dit : « Tu ne me fais pas rêver et tu ne me protèges pas. » Les anecdotes – de plus en plus nombreuses – qui montrent des garçons charmants, drôles, sensibles, qui leur plaisent, les draguent, les invitent à dîner, et qui au moment de monter chez elles, ou de les emmener chez eux, reculent, se défilent, comme pris de panique, avec des mots qu'elles auraient pu prononcer, naguère : « Non, tu comprends, ce n'est pas raisonnable, une aventure sans lendemain, j'ai l'impression qu'on n'est pas dans les mêmes attentes. » Jadis, les femmes craignaient de céder et de ne plus revoir leur amant d'une nuit ; désormais, elles se plaignent de ne pas avoir le temps ni la possibilité de leur céder. Dans un film récent, *Tout pour plaire*, Mathilde Seigner confie à ses copines : « Je ne vais qu'avec des hommes mariés parce qu'il n'y a plus qu'eux qui couchent. »

Et les mères qui dorment avec leurs enfants, et les maris qui se replient sur le canapé. Les consultations de psys (psychanalystes et psychiatres) encombrées de gamines anorexiques, parce qu'elles refusent avec une rare violence (contre elles-mêmes) leur famille où les pères ne sont plus des pères mais un autre enfant de leur mère toute-puissante, et les bureaux des juges envahis de garçons de plus en plus violents, sans repères ni limites. On commence même à voir des filles violentes et des garçons anorexiques ! L'« hyperactivité » des enfants devient un lieu commun des conversations. Des enfants qui n'obéissent pas, qui ne se concentrent pas, des enfants qui se déscolarisent, se désocialisent. Des enfants violents, des enfants tyrans. Ritaline, Concerta, plus de cent soixante-dix mille boîtes de « pilules de l'obéissance » ont été remboursées en 2004 en France. Trois fois plus qu'en 2000. Aux États-Unis, c'est une vieille habitude que de traiter avec des médicaments les troubles du comportement chez l'enfant. Comme par hasard, les États-Unis sont aussi le premier pays occidental à avoir remisé la loi du père dans les poubelles de l'histoire familiale, et poussé le plus loin l'association explosive d'un matriarcat de fait et de l'enfant-roi. Modèle que l'on nous a donné en exemple depuis les années 1960. Lorsque la loi du père trépasse, c'est toujours la chimie qui gagne.

Hommes, femmes, enfants. La vieille trilogie séculaire a explosé. On se regarde en chiens de faïence, on se soupçonne et on se surveille. On se comprend moins que jamais. Peut-être se comprend-on trop bien justement.

2

Elle a une bouche pulpeuse et de grands yeux charmants d'enfant. Il a le visage raviné, un regard inquiet, une allure de séducteur bourru. Ils ont deux garçons, l'aîné, quinze ans, juge que son père est un salaud, tandis que le cadet défend l'idole de son enfance. Je ne sais pas quels sont leurs prénoms, je ne sais pas qui sont ces acteurs, je ne sais pas le titre de ce téléfilm que je découvre par le plus grand des hasards, en cet après-midi de mars 2005. Je sais juste qu'il est diffusé après *Les Feux de l'amour* ; un film parmi d'autres déversé par le robinet d'images de TF1, que la première chaîne d'Europe a acheté en vrac, comme les grossistes de fringues, à son fournisseur américain. Sans y regarder à deux fois. Comme moi, d'un œil distrait. Et puis je ne peux plus m'en détacher. Le type s'est entiché d'une ravissante jeune femme noire au cheveu court et au rire sensuel. Une prostituée qui a quelques ennuis avec un proxénète violent. Il rentre chez lui. L'accueil est chaleureux mais méfiant ; on apprend de la bouche des deux garçons que le père a déjà été renvoyé par la mère, parce qu'il avait « une autre femme », mais qu'il a été pardonné, promettant de s'acheter une conduite. Plus tard, le type est dans sa voiture. Il cherche sa belle Noire. Ne la trouve pas. S'arrête devant une autre pute. Combien ? Ouvre son portefeuille, tombe sur une photographie de sa femme et de ses enfants ; pris d'une brusque bouffée de culpabilité, il s'apprête à partir, lorsque la jeune femme sort de son sac un insigne de police ; c'est un agent fédéral. Arrêté, le type appelle sa femme. Fureur. Il est viré de chez lui. Menacé d'un procès. Sauf s'il accepte une thérapie. C'est à ce moment-là que le film devient passionnant. Le diagnostic tombe sans appel : le type est un drogué du sexe. Sous le regard compatissant mais sévère (la mère !) de sa femme, le type doit s'expliquer, se justifier, devant un thérapeute pontifiant. L'autre se récrie, refuse d'évoquer le souvenir paternel, n'accepte pas l'image de drogué qu'on lui renvoie. Le combat est vain. Le soir, on le montre dans des bars à putes, ou dans un sex-shop, pris de pulsions incontrôlables. Tout est fait, dans les dialogues, la manière de filmer, pour susciter la comparaison avec l'alcoolisme ou la toxicomanie. Il doit en convenir, et le spectateur avec lui : il est un grand malade. Il revient à sa thérapie, inspirée des Alcooliques anonymes. Devant les guéris zélés, il a encore des réflexes virils, il dit : « Regarder de la lingerie et éprouver des pulsions sexuelles, c'est normal pour un homme, non ? » On lui rive son clou : « Un verre de vin le soir aussi, c'est normal, et ça n'empêche pas l'alcoolique de replonger. » Il s'incline. Devant son fils aîné, il fait contrition, lui explique « qu'il a fait du mal à sa maman et à ses enfants », mais que ce n'est pas sa faute, qu'il est malade, mais qu'il se soigne, que c'est la faute de son père, un grand malade encore, qui faisait mine de l'emmener au stade, pour mieux lutiner en douce, pendant qu'il attendait sagement dans la voiture. Et le fiston devenu grand a voulu répéter la scène originelle avec son propre fils. Un salaud, oui. Mais heureusement celui-ci s'est révolté, n'a pas joué le jeu. Nos enfants sont bien meilleurs que nous. Ils nous ramènent dans le droit chemin. Nous devons les écouter, leur obéir. Nous devons retrouver en nous l'enfant, bon, pur, que nous étions. Nous devons nous soumettre à la loi bienfaisante de l'épouse-maman, à la fois belle et bonne, sensuelle et douce. Comment peut-il aller chercher ailleurs si ce n'est par pulsion maladive ? Tout péché mérite miséricorde, mais le prêtre a été remplacé par le thérapeute.

On songe un instant à Casanova et à ses virées dans les bordels vénitiens ou parisiens, ses parties fines avec le duc de Bernis ; et ses ennuis avec les brigades de la vertu, en plein cœur de Vienne, chargées non seulement de traquer prostituées et clients, mais aussi les femmes infidèles. Cette chère impératrice Marie-Thérèse, la maman de Marie-Antoinette, aurait adoré nos téléfilms sur TF1. On songe à Flaubert qui allait jusqu'en Égypte pour goûter aux putes orientales ; à son « fils spirituel », Maupassant, qui faisait venir, rigolard, un huissier de justice au bordel pour certifier ses innombrables « saillies » à un Flaubert incrédule ; à Baudelaire et ses beautés créoles mais non moins tarifées. Tous malades, tous pervers, tous *addicts*, tous drogués. Un conseiller du Premier ministre, Dominique

Ambiel, qui doit jurer la main sur le cœur que la prostituée que l'on a trouvée dans sa voiture n'avait pas eu de rapports sexuels avec lui et n'allait pas en avoir ; un président des États-Unis, Bill Clinton, qui doit s'excuser publiquement d'aimer les gâteries dans le bureau ovale ; un autre président des États-Unis, qui servit de modèle à Clinton, John Fitzgerald Kennedy, jadis admiré et adulé, désormais décrit comme un véritable malade mental parce que séducteur en série et libertin impénitent.

Tous coupables. La modernité bien-pensante a retrouvé les intuitions des bigotes. Le féminisme, les chemins balisés du puritanisme. Mais la modernité a une puissance de feu bien supérieure.

Surtout, le traitement n'est pas le même. L'Église ne voulait pas changer l'homme, mais canaliser ses appétits. Les dissimuler aux regards pour faire comme s'ils n'existaient pas. La modernité se croit éminemment supérieure. Elle ne diabolise pas le sexe. Elle l'assume très bien. Elle est libérée. Elle n'oblige même plus au mariage. Elle respecte la liberté de chacun, les Droits de l'homme, etc. C'est pourquoi elle tolère d'autant moins les déviances, les perversités, le sexe sans amour, le sexe tarifé, horreur, le sexe pour le sexe, la pulsion sexuelle à répétition, sans objet précis, sans sentiment, sans passé, sans avenir.

À la fin du film, l'homme, ravagé par le remords, finit par se confier. Puis il se reprend, voulant conserver son jardin secret. D'un charmant sourire, son épouse lui dit : « On avait dit plus de secrets. » Staline aussi détestait les secrets. C'est même le premier principe de fonctionnement d'un régime totalitaire. Le second est de « changer l'homme ». Là aussi, cette grandiose entreprise finit toujours par un traitement psychiatrique. En résumé, le type du film doit renier son père ; le fils doit dénoncer son propre père ; pour changer l'homme, il faut rompre la chaîne millénaire de père en fils, il faut supprimer les rites d'initiation de père en fils. L'accusé ne doit plus avoir de secrets. Le patriarcat, c'est l'accumulation des petits et grands secrets, pour se forger en dehors de la mère ; le matriarcat, c'est la transparence, la mise à mort de tous les secrets, la fusion placentaire. Comme dans tout régime totalitaire, le secret, voilà l'ennemi. L'homme finit par s'y résoudre. C'est lui qui doit guérir. Qui doit se transformer. Qui doit lier désir et sentiment, sexe et famille, pulsion et fidélité. C'est l'homme qui doit devenir une femme. Dans le programme TV, j'ai retrouvé le téléfilm qui m'avait passionné. Son titre était *Au-delà de l'infidélité*.

On croyait justement être sorti depuis trente ans de cette image « traditionnelle » de la femme. On avait lu Catherine Millet. On avait vu à la télévision toutes ces jeunes femmes qui publiaient des romans-cul (illisibles). Le désir des femmes s'affichait, s'imposait, se vendait. On allait voir ce que l'on allait voir. Pendant des années, on avait décrété que les femmes pouvaient elles aussi, comme des hommes, séparer le désir et l'amour, prendre un, deux, dix amants ; les journaux féminins ont vanté l'adultère ; les femmes ne seraient plus en attente de leur prince charmant. Elles seraient des hommes comme les autres, prenant leur plaisir où elles le trouveraient, quand elles le trouveraient. Je me souviens d'un film des années 1980 dans lequel Miou-Miou avait deux maris, Roger Hanin et Eddy Mitchell, dans deux villes différentes. Et tout allait pour le mieux dans le meilleur des mondes. Double vie, triple vie, quadruple vie, les femmes faisaient tout comme les hommes. J'ai même vu des films et lu des livres où une femme payait un homme pour coucher avec elle. Un vrai prostitué. Pas seulement un gigolo avec qui, malgré tout, des sentiments, une amitié, une affection naissent forcément.

Tout se passe aujourd'hui comme si cette époque était révolue. Tout se passe comme si les femmes reconnaissaient sans le dire qu'elles avaient essayé, qu'elles s'étaient même amusées, un temps, pas longtemps, mais qu'elles n'arrivaient pas à assumer sans états d'âme ni souffrances excessifs le programme que leur a assigné une génération iconoclaste. Les jeunes générations sont les plus réactionnaires, les plus révoltées contre les leçons libertaires données par leur mère. Le couple, il n'y a que ça de vrai. Même s'il est éphémère. D'autant plus éphémère qu'il est sacralisé. Que l'on ne supporte pas le moindre coup de canif, comme disaient nos grand-mères. Qu'elles ne supportent pas la moindre infidélité. La moindre distinction entre désir et amour. Si les femmes ont pour la plupart renoncé à se comporter comme des hommes, elles se refusent à abandonner les rêves romantiques qui les guident de toute éternité ; elles ont tiré de ce paradoxe une conclusion radicale mais néanmoins logique : puisqu'elles n'ont pas réussi à se transformer en hommes, il faut donc transformer les hommes en femmes.

On dira, c'est l'Amérique, le puritanisme américain. Ou, comme Élisabeth Badinter, le féminisme radical, américain lui aussi, inspiré de groupes de lesbiennes. Ainsi les communistes ont-ils un temps distingué Staline – ses erreurs et ses crimes – de Lénine – qui aurait vu juste. Le distinguo a fini par s'écrouler. Le stalinisme était déjà dans le léninisme. De même, le féminisme est un bloc. C'est une vision du monde, une volonté de changer la femme et l'homme. Une ambition prométhéenne. « Effacer cinq mille ans de distinction des rôles et des univers », comme l'a très bien écrit Élisabeth Badinter. En somme, détruire l'héritage judéo-chrétien. C'est justement en cela que le féminisme est un « -isme » du XXe siècle qui ne peut échapper à ses démons totalitaires. En France, la « campagne » contre la prostitution en est l'exemple le plus récent. Émissions de télévision, couvertures de la presse féminine, papiers dans les journaux, enquêtes sociologiques : la prostitution n'est peut-être pas le plus vieux métier du monde, mais c'est un des plus vieux « sujets » du monde. Un thème inépuisable de romans, films, articles, reportages. L'intérêt est dans la manière de le traiter. Jadis, on insistait sur les relations entre proxénète et pute ; sur la pauvre fille, sur son enfance, ses difficultés à en sortir ; la perversité d'une briseuse de ménage ou au contraire l'ingénuité d'une âme d'enfant dans un corps de diablesse. La nouveauté de la campagne récente réside donc dans son sujet : le client. Le client qui a toujours préféré l'ombre protectrice est mis en pleine lumière. Il est interrogé, analysé, il a entre trente et cinquante ans, il est souvent marié, père de famille. C'est un déçu des prostituées, nous dit-on. Il voudrait de l'amour, bien évidemment, mais n'en trouve pas. On se demande pourquoi ce sentimental éploré y retourne. Une erreur sans doute, il cherchait la princesse de ses rêves et s'est retrouvé cours de Vincennes !

Non, réflexion faite, le client est un inadapté de la modernité, il ne supporte pas le nouveau rôle des femmes, c'est un ringard, il veut encore dominer les femmes, il paye pour pérenniser une relation inégalitaire. Un macho infâme, un éjaculateur précoce, un « viandard ». On se demande encore comment il peut vivre librement dans une société évoluée. Entre le sentimental énamouré et le primate, il y a peut-être seulement un homme qui voulait assouvir un besoin sexuel ; mais aucun enquêteur ne l'a rencontré.

Bien sûr, nous rabâche-t-on, ces études sont réalisées sans aucun parti pris idéologique, aucune volonté de dénigrer. Seulement de dénoncer. Dénoncer le scandale de l'amour vénal qui ne connaît que des victimes, filles et clients. Dénoncer, pour une fois, le mot est bien choisi. Dénoncer le coupable, dénoncer le malade. Avant de le criminaliser. Comme en Suède. Pour l'instant, le client est un malade qui doit être soigné. En Chine maoïste, on avait trouvé un mot plus pertinent : rééduqué.

Depuis le 21 juin 2005, la police de Chicago diffuse sur son site web (chicagopolice. org) les photographies ainsi que les noms et adresses des hommes appréhendés en train de solliciter les services des prostituées. Ces informations restent disponibles pendant un mois. Lors des deux premiers jours de l'opération, quatre-vingt-dix mille visites ont été enregistrées sur le site. Le maire de Chicago, Richard Daley, a prévenu à la télévision : « Vous allez payer des milliers de dollars pour votre humiliation. Si vous sollicitez une prostituée, vous serez arrêtés et ensuite les gens le sauront : votre épouse, vos enfants, vos familles, vos voisins, vos employeurs. » Le maire s'est ému de l'insupportable condition faite à ces femmes : « C'est une vie terrible. Elles sont entourées de criminels et de drogués, et vulnérables aux maladies. La société a la responsabilité d'aider ces femmes à changer de vie et d'en empêcher d'autres d'entrer dans cette profession. »

« Plusieurs autres villes américaines ont mis en place des programmes consistant à stigmatiser les clients. À Oakland, en Californie, dans la banlieue de Los Angeles, la municipalité a lancé une "campagne de la honte" en collant dans les rues des affiches dénonçant des hommes qui ont payé pour un acte sexuel. Les spécialistes de la prostitution ne sont pas convaincus de l'efficacité de ces dénonciations publiques, mais à Chicago tout le monde salue la mobilisation. La police y a souvent été accusée de manquer d'efficacité et même de zèle dans la lutte contre le commerce sexuel[1]. »

En France, nous sommes toujours en « retard », comme nous le serinent nos bien-pensants. Mais

1. Éric Leser, « Les clients des prostituées de Chicago mis au pilori sur Internet », *Le Monde*, 28 juin 2005.

nous suivons la marche du monde. À notre rythme. Dès que Nicolas Sarkozy est arrivé place Beauvau, en 2002, il a engagé la chasse aux prostituées qui se répandaient aux portes de Paris. Elles venaient d'Europe de l'Est ou d'Afrique. Elles étaient sous le joug des proxénètes albanais. Elles étaient le sous-produit de trois événements qui avaient été pourtant encensés par tous nos médias : la chute du mur de Berlin et de l'URSS, la « libération » du Kosovo par les troupes de l'Otan, l'abolition des frontières sur le continent européen grâce aux accords de Schengen. C'est la « mondialisation heureuse », aurait pu rétorquer monsieur tout le monde d'un air égrillard, à l'instar de ces grands patrons qui justifient leurs émoluments colossaux par l'existence d'un marché mondial qui imposerait ses règles et ses prix. Mais monsieur tout le monde n'a pas droit à la parole. C'est un criminel, monsieur tout le monde. Il ose établir une relation sexuelle sur l'argent et non sur l'amour. Il doit être puni. Mais dans ce combat éminemment progressiste, la gauche a comme toujours un temps d'avance. C'est quand Lionel Jospin était Premier ministre que le débat sur la « criminalisation des clients » fut lancé. Un ballon d'essai. Qui ne sera pas perdu pour tout le monde. J'ai vu à la télévision un débat entre un jeune agriculteur qui avouait vaguement honteux que, sans les prostituées, il n'aurait jamais connu de femmes et Anne Hidalgo, adjointe socialiste au maire de Paris, le regard assassin, lui lancer : « Il faut vous faire soigner ! »

Il faut que le client – et tous les hommes sont des clients potentiels – renonce de lui-même à une sorte de relation sexuelle qui ne soit pas sanctifiée par l'amour. Au-delà de la prostitution, c'est la conception d'un désir masculin distinct de l'amour qui est visée. L'homme ne doit plus être un prédateur du désir. Il ne doit plus draguer, séduire, bousculer, attirer. Toute séduction est assimilée à une manipulation, à une violence, une contrainte. Il y a quelques années, une loi de 1992 sanctionna le harcèlement sexuel d'un supérieur hiérarchique à l'encontre de sa subordonnée. « Aucun salarié ne peut être sanctionné ou faire l'objet d'une mesure discriminatoire [...] pour avoir subi ou refusé de subir les agissements de harcèlement de toute personne dont le but est d'obtenir des faveurs de nature sexuelle. » À ceux – rares – qui protestèrent contre cette surveillance judiciaire du désir, on promit qu'il s'agissait seulement d'éviter les abus des positions sociales dominantes, du chantage à l'emploi, des promotions canapé. C'était un leurre. Un premier pas. Dans notre société féminine, toute séduction est assimilée à une violence insupportable de l'infâme macho. La suite ne tarda pas. Le 17 janvier 2002, la loi l'élargit au « harcèlement horizontal » : on peut être harcelé par un collègue et pas seulement par son supérieur. La directive européenne du 23 septembre 2002 définit ainsi le harcèlement sexuel : « La situation par laquelle un comportement à connotation sexuelle, s'exprimant physiquement, verbalement ou non verbalement, survient avec pour objet ou pour effet de porter atteinte à la dignité d'une personne et, en particulier, de créer un environnement intimidant, hostile, dégradant, humiliant ou offensant. »

Interdites les photographies de femmes nues dans les ateliers, les plaisanteries graveleuses dans les bureaux. Les allusions, les sous-entendus, la séduction, le désir. C'est l'enfant monstrueux de Tartuffe et de Simone de Beauvoir. L'homme n'a plus le droit de désirer, plus le droit de séduire, de draguer. Il ne doit plus qu'aimer.

On songe à la phrase célèbre de Rousseau dans le *Discours sur l'origine de l'inégalité* : « Commençons par distinguer le moral du physique dans le sentiment de l'amour... Il est facile de voir que le moral de l'amour est un sentiment factice ; né de l'usage de la société, et célébré par les femmes avec beaucoup d'habileté et de soin pour établir, et rendre dominant un sexe qui devrait obéir. »

Prolongeons l'intuition de Rousseau. Pendant des millénaires, les femmes – aidées depuis deux mille ans par l'Église catholique – se sont efforcées de canaliser les pulsions sexuelles de l'homme, pulsions qui les transformaient en purs objets de désir, nids (multiples) à spermatozoïdes (innombrables). Elles visaient autre chose, elles n'avaient qu'un ovule à la fois, un enfant à la fois, et par an, il leur fallait le père idéal, le père protecteur pour leur progéniture, le plus fort au temps des cavernes, le plus intelligent, et surtout le plus riche aujourd'hui. Le fameux prince charmant. Elles ne veulent pas être une parmi d'autres, elles veulent être uniques. Pas seulement objets de désir, comme des milliers d'autres, mais aimées. La seule. Cette stratégie de l'amour – limitée géographiquement à l'Occident, ne l'oublions pas –, l'amour que l'on disait courtois, était sévèrement encadrée par le mariage et la courtisanerie. Le mariage était arrangé et le plaisir tarifé. Ces deux verrous devaient donc sauter pour imposer la toute-puissance de l'Amour. Et des femmes. Le mariage a sauté le premier. Il est devenu le mariage d'amour. Un oxymore. La courtisanerie doit suivre le même chemin. D'où l'offensive contre la prostitution. On remarquera que la prostitution n'est plus condamnée au nom de la morale mais de la condition des femmes et de l'amour. Terriblement efficace. C'est l'homme qui doit se transformer, de gré ou de force. Il doit le comprendre de lui-même. Ou alors on le forcera. L'éducation, d'abord. Regardez messieurs, nous les femmes, nous y arrivons si bien. Déjà, les jeunes générations n'y vont plus, ne se déniaisent plus avec une prostituée, mais avec leur petite amie, dans la rugueuse maladresse des premières fois. C'est beau, tendre, pur. C'est l'Amour. Déjà. Une question de temps. Et d'éducation, on vous dit. La mixité généralisée de tous les espaces (jusqu'aux stades de football) mais surtout à l'école anesthésie la virilité des petits d'hommes qui ont besoin de s'arracher à leur mère et à ses clones (toutes les autres femmes) pour trouver leur vérité virile.

Nous vivons en effet une époque de mixité totalitaire, castratrice. Dès l'école maternelle, les enfants, sollicités par les mamans admiratives, sont incités à désigner leur « amoureux ». C'est badin, anodin, c'est le début du dressage. Les filles sont très à l'aise, les garçons sont gauches et timides. Les filles passent d'un « amoureux » à l'autre sous les rires égrillards et gênés à la fois des mamans ; les garçons s'adaptent, imitent, se prennent au jeu. Le jeu de l'amour, qui est allégrement mélangé à l'amitié, au désir. On habitue ainsi tout petits les garçons à ne plus distinguer une fille qui leur plaît et une « amoureuse ». À la maison, la télévision prend le relais. Dans une émission de télé-réalité comme « L'Île de la tentation », le couple est soumis à la tentation de l'infidélité. L'équation implacablement féminine se met ainsi en place : si on « trompe », c'est que l'on n'aime plus, donc on se sépare. Certains psys s'en inquiètent enfin. Ainsi, dans *Le Figaro* du 9 août 2005, Paul Bensussan traitait l'émission de « pornographie sentimentale » : « L'émission trouble la représentation de la sexualité et de la relation affective. Mettre à l'épreuve du feu la solidité d'une relation amoureuse tout en l'assimilant à l'amour, c'est favoriser l'amalgame entre ces deux notions. Si l'amour est classiquement considéré comme un gage de solidité, on sait qu'il existe des relations durables même après la disparition de l'élan amoureux ; ce que l'on nomme en thérapie de couple l'attachement est loin d'être valeur négligeable. Le concept de l'émission fragilise donc l'image du couple en mesurant la solidité – la valeur – d'une relation à l'aune de sa résistance à la séduction ou à l'infidélité. »

Ringard, le psy. Selon une enquête menée par l'Ifop pour la Mutuelle des étudiants auprès de cinquante mille de ses adhérents (dix mille ont répondu), entre 18 et 25 ans 84 % se disent amoureux ; 58 % ont un ou une petite amie. Seuls 2 % avouent mener plusieurs relations de front, et 87 % jugent leur relation affective « épanouissante ».

On peut les voir, dans les rues de Paris et d'ailleurs, main dans la main, vêtus du même uniforme, pantalon large et informe, baskets, chemise ample et pull-over moulant, les cheveux mi-longs. Un même corps de garçonnet androgyne pour deux. Ils sont l'incarnation de la vieille métaphore de Platon sur le corps coupé en deux que l'amour ressouderait miraculeusement. Ils sont plus que frères et sœurs, ils sont jumeaux. Depuis le plus jeune âge, ils sont en couple. Ils ne conçoivent pas la vie, le désir, la rencontre, autrement que dans un cadre immédiatement installé. Parfois, les éléments du couple changent, mais c'est chaque fois une déchirure. Mais peu importe, ce ne sont pas les individus qui comptent, c'est le couple. Ils dorment chez papa-maman. Jadis, on n'aurait jamais osé « faire ça » dans la maison familiale. C'était sacré. Mais il n'y a plus de différence entre le sacré et le profane. L'Amour est le sacré de l'époque. Jadis, il y a encore trente ans, nous vivions sans le savoir en des temps archaïques : le chef de meute, le père, se voulait la puissance, le seul pénis bandant, le seul phallus de sa maison. C'était la loi du père, qui obligeait le fils à aller bander et baiser ailleurs. Désormais, ils ne risquent plus rien, il n'y a plus de père dans la maison de la mère, ils peuvent donc bander et baiser en liberté, sous la bienveillante protection de leur mère, si fière de voir leur petit devenir grand. Sous sa domination-protection.

De toutes les manières, il ne se passe pas grand-chose. C'est ce que nous a appris une récente étude sociologique sur la sexualité des 15-25 ans. Et on a vu – chose rare – les enquêteurs, tous issus de cette génération soixante-huitarde qui portait le désir en bandoulière, être sidérés par la « banalité », la « platitude » de la sexualité de leurs cadets. Ils n'en sont pas revenus, aveuglés qu'ils sont par leur propre discours depuis trente ans. Ils n'ont rien compris : ces jeunes gens s'aiment vraiment. La princesse de Clèves ne couche pas avec le duc de Nemours. C'est beau et pur, sincère. Ils ne peuvent pas tout faire.

« À moins qu'il ne soit question d'une femme absolument sans conséquence, une jolie femme de chambre, par exemple, une de ces femmes que l'on ne se souvient de désirer que quand on les voit. S'il entre un grain de passion dans le cœur, il entre un grain de fiasco possible... Plus un homme est éperdument amoureux, plus grande est la violence qu'il est obligé de se faire pour oser toucher aussi familièrement, et risquer de fâcher un être qui, pour lui, semblable à la divinité, lui inspire à la fois l'extrême amour et le respect extrême...

« Or, si l'âme est occupée à avoir de la honte et à la surmonter, elle ne peut pas être employée à avoir du plaisir, qui est un luxe, il faut que la sûreté, qui est le nécessaire, ne coure aucun risque...

« Souvent, en se fatiguant auprès d'une autre femme, ces pauvres mélancoliques parviennent à éteindre un peu leur imagination, et par là jouer un moins triste rôle auprès de la femme objet de leur passion...

« L'idée que ce malheur est extrêmement commun doit diminuer le danger. »

Le chapitre s'intitule « Du fiasco ». Il est le plus éblouissant d'un livre admirable écrit par Stendhal avant ses grands romans, *De l'amour*.

Stendhal concentrera lui-même ces analyses d'une rare finesse dans son roman *Le Rouge et le Noir*. La femme passionnément aimée par Julien Sorel s'appelle Mathilde de La Mole. On a compris. Désir (en tout cas masculin) et amour ne font pas bon ménage. Ils sont antagonistes, se combattent, s'excluent souvent. Les mots nous trompent : plus on aime, plus on a du mal à faire l'amour. Plus on adule, plus on respecte, moins on bande. Stendhal a cent fois raison, ce malheur est extrêmement commun. C'est le syndrome trop belle pour moi. Trop admirable. Trop aimable, au sens exact du terme. Peu d'hommes le savent, moins encore l'avouent, mais tous le sentent. C'est leur angoisse fondamentale dès qu'une femme leur plaît. C'est le grand secret de la désinvolture amoureuse des garçons dont les filles se plaignent depuis la nuit des temps. De leur besoin de découper la femme en morceaux, en bouts de désir et de fantasmes, les cheveux, les seins, la bouche, le cul, les hanches, les jambes, les chevilles, tout et n'importe quoi, mais surtout pas la femme entière qui vous rappellerait qu'on l'aime tant. De la nécessité de draper ces morceaux de fantasmes de tissu, comme Christo emballe ses ponts, pour les voir sans LA voir, pour transformer les jambes dans leurs bas, la poitrine gainée dans sa guêpière, comme autant de marchandises prêtes à l'achat. Une désacralisation. Une protection. Une armure. Une garantie du plaisir des garçons, mais aussi de celui des filles. Paradoxe cruel. Les filles doivent choisir entre amour et plaisir. Avec son élégant cynisme, Stendhal va même plus loin, il explique que les amoureux sont de meilleurs amants lorsqu'ils se sont auparavant débridés, comme un moteur grippé, avec une autre fille, une fille de rien, une courtisane ou une femme de chambre. En langage féminin d'aujourd'hui, on dirait une pétasse. Les femmes devraient donc remercier les hommes de les « tromper avec une pétasse » ; ils en sont de moins piteux amants. Difficile à avaler. Depuis Stendhal, Freud nous a appris à mettre un mot, une image, une icône devrait-on écrire, derrière ce mystère : maman. L'amour serait associé à la mère, et donc l'interdit sexuel qui va avec. Scandale à son époque, l'analyse géniale de Freud est devenue banalité. Galvaudée, détournée, vulgarisée. Elle reste évidemment fort utile. Elle nous éclaire par exemple pour comprendre la détérioration rapide – et de plus en plus massive – des jeunes couples après la naissance du premier enfant. La femme, objet de désir, est devenue mère. Sainte. Respect. Désir en berne. Fureur des femmes, désarroi des hommes, rupture des couples à qui on a expliqué depuis vingt ans que leur entente sexuelle était le symbole de la « réussite de leur couple ». La seule preuve de la « réussite de leur couple ». Alors on divorce, puisque aujourd'hui le premier désagrément se règle par un divorce.

Dans les sociétés patriarcales traditionnelles, on avait pris acte de cette dichotomie. Il y avait les épouses pour le mariage et les enfants ; les maîtresses pour l'amour ; les courtisanes ou le bordel pour le plaisir. Chacune de ces femmes faisait un sacrifice : l'épouse avait la sécurité et le statut social, le respect, mais rarement le plaisir et le romantisme des sentiments ; la maîtresse, courtisane ou non, avait celui-ci et parfois même le plaisir, mais pas la sécurité ni le statut social ; la prostituée semblait la moins bien servie, mais elle avait l'argent, parfois elle avait même l'amour... Seul l'homme parvenait, ravi, à rassembler ce kaléidoscope ; il avait tout ce dont il rêvait mais en plusieurs personnes. Et ça l'arrangeait. La littérature du XIXe siècle est pleine de ces désillusions féminines, *Une vie* de Maupassant ou *La Femme de trente ans* de Balzac, de ces jeunes filles romantiques qui croient épouser le prince charmant et trouvent très vite à l'usage un mari désinvolte, volage, coureur de jupons, chassant la gueuse, goûtant les amours ancillaires ou les femmes de peu, et méprisant les sentiments que son épouse lui porte. Dans la société traditionnelle, dominée par les valeurs masculines, la femme souffre sans comprendre, mais accepte son sort. Son destin.

« L'amour, cette immense débauche de la raison, ce mâle et sévère plaisir des grandes âmes, et le plaisir, cette vulgarité vendue sur place, sont deux faces différentes d'un même fait. La femme qui satisfait ces deux vastes appétits des deux natures, est aussi rare, dans le sexe, que le grand général, le grand écrivain, le grand artiste, le grand inventeur, le sont dans une nation. L'homme supérieur comme l'imbécile [...] ressentent également le besoin de l'idéal et celui du plaisir ; tous vont cherchant ce mystérieux androgyne, cette rareté, qui la plupart du temps, se trouve être un ouvrage en deux volumes[1]. »

---

1. Balzac, *La Cousine Bette*.

Cette vieille dichotomie entre maman et putain, la modernité la rejette avec horreur. « Je ne suis ni une pute ni ta maman », nous assènent nos compagnes d'aujourd'hui. Que sont-elles ? Des femmes, répondent-elles avec éclat. Qu'est-ce qu'une femme ? On ne sait. Sans doute un homme d'aujourd'hui.

À Versailles, à la cour du Roi-Soleil, des mariés qui osaient des gestes de tendresse, des marques d'amour étaient objets de ridicule. Dans la société moderne, un couple qui avoue que sa liaison repose sur autre chose que l'amour – intérêts, amitié, religion, enfants – est tourné en dérision. Dans la société patriarcale, on séparait, distinguait, divisait. Dans la société féminine contemporaine, on veut recoller les morceaux longtemps épars. Les femmes peuvent enfin réaliser leurs rêves unificateurs, totalisants voire totalitaires, elles veulent tout ensemble : amour, désir, statut. Mariage et plaisir, enfants et romantisme. Tout. La plupart du temps, elles n'ont rien. Qui trop embrasse mal étreint. Les hommes ont désormais fait leur ce discours féminin. Ils veulent eux aussi aimer. Jadis, c'était un discours artificiel qu'ils servaient aux femmes pour les conquérir. Et les mettre dans leur lit. On connaît la blague célèbre : « Les hommes sont prêts à tout pour baiser, même aimer ; les femmes sont prêtes à tout pour être aimées, même baiser. » Blague d'un autre temps, d'un temps et d'un monde viril, dominé par la psyché masculine. Blague interdite sans doute par la directive européenne du 23 septembre 2002 sur le harcèlement sexuel. Nos amis eurocrates peuvent dormir tranquilles dans leur hôtel de Bruxelles. Ce monde se meurt. Les hommes sont désormais sincères. Aliénés, mais de bonne foi. Ils veulent aimer et désirer ensemble. Ils veulent devenir des femmes comme les autres.

On constate pourtant un décalage entre les actes et les mots des hommes : leur corps, leurs instincts, leurs cellules parlent encore, le vieil homme agit encore, sans que le cerveau du nouvel homme arrive à mettre des mots, un sens sur ce qu'il a fait. Quand il a envie d'une autre femme, quand il est infidèle, il devrait dire : « J'ai eu une envie, une impulsion, un désir, j'ai eu envie de la baiser, elle me plaisait, m'excitait, mais chérie, c'est toi que j'aime. » Mots d'homme de toute éternité, qui disent la vérité, la sincérité du désir masculin. Mots ridiculisés, humiliés, à longueur de romans, de films, de colonnes de journaux. Mots interdits. Mots effacés. Pauvres mots palimpsestes, pensées supprimées du disque dur. Alors, les hommes parlent avec les nouveaux mots qu'on leur a appris, qu'on les a autorisés à prononcer, ils disent : « J'aime, j'ai un coup de foudre, je vis une aventure, je ne peux résister, je m'en vais, j'aime, tu ne peux pas comprendre, la passion, moi-même je me sens emporté. » Peu importe qu'ils répètent ces passions torrides tous les trois mois. Les femmes qui entendent ces discours les reconnaissent aisément. Ce sont les leurs. Ces mots, elles les comprennent très bien, beaucoup mieux que les anciennes distinctions qui les rassuraient mais qu'elles ne jugeaient pas crédibles. Ces mots les détruisent parce qu'elles les croient authentiques alors qu'ils sont factices. Mais plus personne ne le sait plus, plus personne ne le dit. Ni lui ni elle.

Et les femmes se gavent d'anxiolytiques. Et les hommes se précipitent en masse chez les sexologues pour « parler de leur problème d'impuissance ». Selon une récente étude Louis-Harris faite pour le laboratoire Pfizer, le célèbre fabricant du Viagra, sur un échantillon de six mille cinq cents femmes, une femme sur cinq observe des troubles de l'érection chez son homme. Ces dames sont magnanimes. Trente-neuf pour cent des 25-40 ans avouent être victimes de pannes, proportion qui augmente avec l'âge. Aux États-Unis, comme au Canada, les enquêteurs de Pfizer entendent des femmes, sarcastiques ou désespérées (ou les deux), affirmer qu'un homme ayant une érection de plus de trois minutes est un héros. Tout le monde s'en étonne, s'en émeut. Que se passe-t-il donc ? Les hommes ne comprennent pas ce qui leur arrive. Les femmes non plus. Elles ne se rendent pas compte que leur obsession du « respect » les ramène au point de départ puritain dont elles viennent. Dans la société ancienne, les femmes disaient « pour qui me prenez-vous ? » afin de contenir les impatiences masculines. L'image de la pureté, de la sainte, de la vierge, décourageait ou, en tout cas, canalisait les pulsions viriles. Aujourd'hui, elles ne se soucient guère de leur virginité ou de leur pureté, mais de leur égalité, de leur indépendance, de « l'image de la femme ». Une fois encore, le sacro-saint respect néopuritain fonctionne comme une machine qui annihile le désir des hommes. Respecter rime avec dédaigner. C'est la raison profonde pour laquelle cette époque féministe, où les femmes se sont approprié les attributs virils par excellence, l'argent et la reconnaissance sociale, exigeant le respect, cette époque tendanciellement castratrice est aussi un temps où les femmes affichent les tenues les plus débridées, multipliant minijupes et décolletés plongeants, string et pantalon taille basse, jeans ultra-moulants et charmants dessous mis dessus. Comme si elles avaient voulu compenser, corriger, sauver ce qui pouvait encore être sauvé, rassurer après avoir effrayé ces pauvres mâles, réveiller le désir après l'avoir piétiné. Le racolage médiatique, l'explosion des dessous libertins, la mise en scène des « perversions » d'autrefois sont une réponse à la baisse du désir masculin, inhibé par le diktat du respect et de l'amour obligatoire.

Quoi de plus fragile et mystérieux que le désir masculin ? Dans son magistral ouvrage, *Vérité romanesque et désir romantique*, René Girard nous a dévoilé, il y a déjà plus de quarante ans, les dessous inconnus d'un désir qui n'est nullement rencontre romantique de l'un vers l'autre, mais désir triangulaire, faisant toujours intervenir un tiers, un troisième larron qu'aucun des deux amoureux ne veut voir mais sans lequel il ne se passerait rien. Girard décortique avec une rare finesse les grandes œuvres de la littérature à la lueur de sa théorie. Ainsi, dans *L'Éternel Mari*, Dostoïevski nous montre-t-il les rapports complexes entre un veuf et l'ancien amant de sa femme. Des rapports faits de haine et d'admiration, de ressentiment et de dépendance. Quand le veuf veut se remarier, il emmène l'amant chez sa promise ; il exige qu'il lui offre un cadeau, il le met en valeur auprès de la jeune fille. Les deux hommes finiront par rompre. À la fin du roman, le grand écrivain russe nous montre son veuf remarié avec une charmante jeune femme, dans un train. À leurs côtés se tient un sémillant soldat. Et Girard de nous expliquer que le mari a besoin de l'amant – qu'il admire – pour légitimer, renouveler, enrichir le désir qu'il porte à sa femme. C'est l'amant – à la fois admiré et détesté, à la fois complice et rival – qui permet le désir pour la femme aimée. De même, dans *Don Quichotte*, Girard exhume pour nous cette scène oubliée d'un couple fort amoureux. L'homme prie son meilleur ami de séduire sa jeune femme pour mieux éprouver sa fidélité. L'ami se récrie, le mari insiste, il fait tout pour les rapprocher. Finalement, il apprendra son infortune, qu'il a tant cherchée, et se tue. Il voulait secrètement que son meilleur ami – chéri et admiré – déclenche, réveille, relance son désir pour sa femme ; mais il n'a pas accepté de voir la réalité crue de son désir triangulaire. Bien sûr, la vulgate freudienne a une réponse toute prête : ces hommes sont des homosexuels refoulés. Avec une grande finesse, Girard retourne l'argument : et si nombre d'homosexuels n'étaient pas victimes d'une erreur de perspective en confondant leur désir mimétique pour le fameux tiers avec un désir homosexuel du même ? Paul ne désire pas Pierre, mais il désire Valérie en Pierre. Nuance.

Tous les grands livres, tous les grands films ont pressenti cette thèse girardienne. Le trio mari, femme, amant doit être revu avec ces lunettes. Dans *César et Rosalie*, de Claude Sautet, Yves Montand et Sami Frey se disputent la sublime Romy Schneider. En vérité, Yves Montand, le self-made-man des années Pompidou, admire la finesse, la culture du dessinateur Sami Frey, qui à son tour est fasciné par la force animale que dégage Montand. À la fin du film, les deux hommes sont devenus les meilleurs amis du monde, et se retrouvent pour évoquer l'image adorée de celle qui les a quittés tous deux. Elle revient finalement, mais les deux hommes ont-ils encore besoin d'elle ? Dans les films français de ces dernières années, il y a toujours un tiers, mais il est le plus souvent un bisexuel, qui « consomme » Lui autant qu'Elle. L'intercesseur du désir des hommes est donc désormais l'homosexuel. L'inverti honni d'hier est devenu le gay admiré d'aujourd'hui, celui qui légitime le désir du pauvre « hétérosexuel » – « hétéro de base », minable beauf – pour la femme. Ce sont ses choix, ses dilections, ses refus, ses regards, ses goûts, ses conceptions du désir et de l'amour qui donnent le *la* dans les rapports entre hommes et femmes. Pour plaire aux femmes, l'homme doit se comporter comme un homosexuel.

Face à cette pression féminisante, indifférenciée et égalitariste, l'homme a perdu ses repères. Les uns renoncent au désir, les autres s'accrochent à leurs habitudes. C'est l'inégalité qui était le moteur traditionnel du désir. La machine séculaire du désir entre l'homme et la femme reposait sur l'admiration (feinte ou réelle, peu importe) de la femme pour celui qui a ce qu'elle n'a pas entre les jambes. Pascal Quignard, dans son livre admirable *Le Sexe et l'Effroi*, nous a appris que, dans la Rome antique, le *phallos* grec était devenu *fascinus*. Qui doit fasciner pour que la femme le désire ; et c'est cette fascination, lue dans le regard de la femme, qui rassure l'homme sur ses capacités, dont il doute terriblement. Et cela n'est pas seulement le fruit d'une histoire « machiste » : tant qu'un homme devra bander pour pénétrer une femme, ces mécanismes psychologiques se mettront en marche. Tant que les femmes ne feront qu'un enfant par an, elles chercheront le mâle qui protège le mieux leur futur enfant. On a cru que la Sécurité sociale, les allocations de mère célibataire et autres aides sociales arracheraient les femmes à cette angoisse. Il n'en est rien.

La fascination du pauvre, ou plutôt du riche, c'est l'argent. C'est le secret de la prostitution, bien sûr, mais pas seulement. On n'a jamais vu une actrice au bras d'un garçon boucher. Mais on voit souvent des garçons fort laids, au volant de fort belles voitures de sport, au côté de ravissantes personnes de sexe féminin. Les cruelles statistiques montrent que le divorce, demandé par la femme, s'intensifie lorsque l'homme est au chômage. Et pourtant la femme travaille, gagne sa vie. Ce n'est donc pas une question matérielle, alimentaire. Mais notre société nie la subtilité de ces rapports au nom de l'égalité et du respect, tue-désir de masse. On a vu que la prostitution était devenue un des moyens qu'ont trouvé les hommes pour retrouver une supériorité – et donc leur désir – dans la société du respect et de l'égalité. Pour la même raison, d'autres vont en Thaïlande ou à Cuba. Ces hommes occidentaux, beaucoup d'Allemands et d'Américains qui viennent de contrées où les féministes ont été particulièrement virulentes, fuient les femmes blanches, leurs égales, trop respectables, qu'ils n'osent donc pas désirer. Ces hommes « aiment » leurs femmes, mais justement les aiment trop, les respectent trop, les admirent trop, les craignent trop pour les désirer encore. Exactement comme les hommes du XIXe siècle se rendaient au bordel, baiser des putains ou des courtisanes, tandis qu'ils « respectaient » leur femme sanctifiée par la religion catholique. C'est également ainsi que j'explique la multiplication des clubs échangistes. Dans 95 % des cas, c'est l'homme qui y amène la femme. Offrir sa femme à un autre homme la désacralise ; le désir d'un autre homme renouvelle, enrichit, revitalise le sien, selon la thèse du désir mimétique de René Girard que nous avons déjà explorée. De surcroît, le plus souvent, la femme retrouve dans ces clubs échangistes une inquiétude, une insécurité qu'elle n'a plus dans une simple relation sexuelle, banalisée, déculpabilisée dans notre monde « libéré ». Dans un club échangiste, elle a encore l'impression de faire mal. Elle sort de sa logique du désir, où elle maîtrise tout, pour entrer dans une logique du plaisir, où elle ne maîtrise plus rien. Cette peur de la femme redonne une certaine supériorité à l'homme (*fascinus*) qui fait mine (fait mine seulement) de ne pas être impressionné, et redonne à la femme les beautés passées de l'effroi.

C'est ainsi que je comprends aussi l'évolution du cinéma pornographique. Ce cinéma X devenu le professeur d'éducation sexuelle des adolescents, toutes classes sociales confondues. Lui aussi a évolué, sous l'influence de la féminisation de la société. Il est aussi ancien que le cinéma ; il y eut des pornos muets ; mais son heure de gloire sonne dans les années 1970 quand il sort de la clandestinité. La lumière par les salles obscures. Deux pays s'imposent très vite comme les plus importants et les plus brillants pourvoyeurs, la France et les États-Unis. Comme aux débuts du cinéma ! Le porno français est très typé, plutôt bavard, avec des scénarios soignés ; les fantasmes sont variés, triolisme, saphisme, partouze, mais sans violence ni scatologie ; les filles sont d'une beauté banale ; socialement, il y a peu d'ouvriers ou de grands bourgeois ; peu de très jeunes et de très vieux ; ce cinéma est l'expression de la petite-bourgeoisie qui s'émancipe dans la foulée de Mai 68. L'initiation de la femme, mais de l'homme aussi parfois, est au cœur de la plupart des scénarios. Le thème essentiel de ces histoires est la régénération du couple par la libération des fantasmes. Des fantasmes d'homme bien sûr, mais qui révèlent la femme. Le but est la quête du bonheur. À partir des années 1980, tout change. Le porno quitte les salles obscures pour gagner les cabines des sex-shops. C'est le règne du X. Le porno s'industrialise, se mondialise. Les intérêts financiers deviennent énormes, la rentabilité maximale, les acteurs internationaux, on délocalise à tour de bras, en Hongrie, puis en République tchèque, depuis peu en Bulgarie ; les scénarios deviennent étiques ; on ne raconte plus d'histoires, on enchaîne des scènes, les hommes sont musculeux, bodybuildés, les femmes glacées ; on ne sait plus d'où ils viennent, ni de quel pays, ni de quelle classe sociale ; ils se déréalisent. C'est le règne du porno virtuel et de la mondialisation.

Comme pour compenser, se développe à la même époque le porno « amateur », censé retrouver la fraîcheur des monsieur et madame tout le monde. Mais très vite, amateur ou pas, le porno devient dans les années 1990 de plus en plus violent, de plus en plus scatologique. On voit apparaître des films zoophiles, interdits par la législation française, et imposés par les services de Bruxelles au nom de la liberté du commerce ! Les Allemands sont les rois de ce kolossal porno. Plus de rite initiatique, plus de quête du bonheur, plus de couple, la seule logique autre que financière semble de faire mal, de plus en plus mal, aux femmes transformées non pas en objets de désir mais en machines à plaisir. L'humiliation des femmes est le seul argument de vente des fameux « gonzo ». Dans les années 1970, le porno était parfaitement en phase avec l'idéologie soixante-huitarde de la libération par le sexe. Dans les années 1990, en revanche, alors que les femmes s'imposent partout, que l'on ne parle que de parité en politique ou dans l'entreprise, que les valeurs féminines dominent la société, le porno prend le contrepied de la société et s'enfonce dans une violence rageuse. Comme si les hommes, consommateurs ultra-dominants du genre, se vengeaient violemment dans le secret des sex-shops d'une réalité où ils se sentent de plus en plus dominés. Comme si, se sentant muter, ils s'accrochaient désespérément à leur ancien état. Avec l'énergie, la violence, la haine du désespoir. La haine de ce qu'ils sont devenus. De ce qu'ils ont voulu devenir.

3

Le film eut un énorme succès. Un de ces succès qui surprennent tout le monde, critiques, acteurs, metteur en scène, producteur. Un succès qui va au-delà du film, du talent des acteurs ou de l'originalité de la mise en scène. Un succès qui se chiffre en millions d'entrées et milliards (de francs) de recettes. Un succès qui dépasse les traditionnelles distinctions de classes sociales, de goûts culturels, de sexes, dans ce que les journalistes appellent, mélange de pertinence et de lieu commun, « un phénomène de société ». *Trois hommes et un couffin* a vingt ans. Que voyait-on dans ce film ? Trois joyeux drilles, célibataires endurcis, dragueurs impénitents, noceurs, des stéréotypes, aux prises avec un bambin. Au début, les garçons sont perdus, affolés, furieux. Refusent de changer leurs habitudes. Puis s'y font. Y prennent goût. Ne peuvent plus s'en passer. Quand le bébé est récupéré par sa mère, ils sont désespérés. Heureusement, celle-ci, dépassée par un travail trop prenant, leur rend l'enfant. Bonheur chez les mâles ! Le message idéologique est transparent : les hommes sont des mères comme les autres. Ils peuvent langer, câliner, et cela les rend heureux, beaucoup plus heureux que leur travail ou leur donjuanisme habituels. Post filmum : l'instinct maternel n'existe pas ; les femmes ne savent pas forcément s'occuper d'un nouveau-né ni l'aimer ; version cinématographique de la thèse d'Élisabeth Badinter. On peut sans ridicule évoquer le message politique du film, d'autant que le metteur en scène est une militante féministe assumée. Mais elle fut dépassée par son succès.

Le public n'était pas militant, les hommes autant que les femmes le virent et l'apprécièrent. Les hommes ne refusèrent pas cette image d'eux-mêmes et se complurent dans ce miroir qu'on leur tendait.

Et si ce désir, cette pulsion, ce fantasme constituaient le fil rouge d'une histoire du XXe siècle ? Non pas l'unique clef d'un siècle prométhéen et terroriste, mais une clef qui ouvrirait certaines portes restées obstinément closes, autres que celles ouvertes largement à deux battants depuis trente ans. Et de faire enfin courant d'air.

Histoire connue, rabâchée, transformée en lieu commun et image d'Épinal, que l'histoire de l'émancipation féminine, le cigare de George Sand, les suffragettes, Marie Curie prix Nobel, le droit de vote accordé en 1944 par le général de Gaulle, les premières machines à laver, le journal *Elle*, la pilule, les trois cent quarante-trois salopes, Simone Veil et l'avortement, le MLF, la première polytechnicienne, la première camionneuse, la première policière, le remboursement de l'avortement par la Sécurité sociale, les lois sur l'égalité professionnelle, la parité en politique. Histoire sans fin, toujours recommencée, avec ses acquis sans cesse menacés par le mâle revanchard.

Je voudrais seulement poser comme hypothèse que l'histoire ne s'écrit peut-être pas seulement ainsi. Décaler le regard. Imaginer que le mâle revanchard souhaite ce qui arrive sans oser se l'avouer. C'est même lui, et non sa compagne, qui a lancé la machine infernale de l'indifférenciation sexuelle. Et cela change tout pour notre vision du passé, mais aussi du présent et de l'avenir.

Alors, revenons au début du XXe siècle. La machine peu à peu allège le travail de l'homme aux champs et à l'usine. Sa force physique, son courage, sa vigueur sont de moins en moins utiles. Mais il ne s'en rend pas encore compte. C'est la guerre de 1914 qui va tout révéler. La guerre est l'ultime marqueur de l'identité masculine. De Jules César à Napoléon, l'art de la guerre n'a pas vraiment changé ; les soldats des guerres impériales restent héroïques comme des chevaliers du Moyen Âge ; seul Stendhal, visionnaire, dévoile le ridicule et l'absurde qui menacent la guerre moderne. Un siècle plus tard, les yeux se sont dessillés. Pour la première fois en Europe, tous les hommes valides d'un pays doivent se faire guerriers. Même pour les batailles de la Révolution et de l'Empire, les levées en masse laissaient une place au volontariat et au hasard. Plus en 1914. Cette guerre est celle de l'héroïsme inutile, des offensives vaines, de la boue, des gaz, des rats, des massacres de masse. « Des lions dirigés par des ânes », disaient les Allemands des soldats français. Le premier conflit mondial n'a pas seulement été le tombeau des nations européennes. Dans l'horreur des tranchées, l'image de la guerre change, l'image de l'homme blanc change, l'image de l'homme change. Tous deviennent victimes, défaits, objets d'un destin qui les dépasse.

La vulgate féministe nous explique doctement que la guerre de 1914 fut l'occasion pour les femmes de montrer qu'elles pouvaient remplacer les hommes, qu'elles pouvaient elles aussi faire tourner l'économie. Et qu'elles ne l'oublieraient jamais. Les hommes non plus n'oublieront jamais leur avilissement mécanisé. Il suffit de lire Céline et tous les écrivains de la Grande Guerre. La virilité n'est plus héroïsée, mais elle est humiliée, meurtrie, avilie. Par les ordres imbéciles de l'état-major, par la boue des tranchées comme par la fiesta à l'arrière. Plus rien ne sera comme avant. Les hommes renoncent à eux-mêmes. Le prix à payer est trop fort, le sceptre trop lourd. Dans les relations entre hommes et femmes, ces dernières s'affirment, et eux sont en quête d'autre chose. Dès 1916, une pièce de Sacha Guitry, *Faisons un rêve*, donne une indication du séisme qui est en train de se produire souterrainement. C'est toujours le trio du théâtre de boulevard, le mari, l'amant, l'épouse. Le mari est infidèle et la femme aussi. Schéma classique. Mais la tradition est subtilement subvertie : la femme infidèle reste dormir chez son amant. Chez Feydeau, elle ne restait pas dormir après. Jamais. L'amant était content de se débarrasser de sa maîtresse qui aurait bien aimé rester dans les bras de son amant, tendrement enlacés, mais elle ne pouvait déserter trop longtemps le domicile conjugal. Cette fois, ils dorment ensemble – ils se sont endormis – mais une fois réveillés, l'amant propose à sa maîtresse de l'épouser. Finalement tout rentrera dans l'ordre bourgeois et patriarcal, mais pendant une courte pièce l'ordre masculin aura été subverti. Pour la première fois, l'homme a accepté peu à peu la vision féminine de l'amour ; ils ont dormi ensemble après ; ils ont évoqué divorce et mariage, « refaire sa vie », comme on ne disait pas encore ; désir, amour, mariage sont mis ensemble, et l'amant accepte de bonne grâce cette révolution dont rêvaient les femmes depuis des siècles.

Après guerre, tout va très vite et très confusément. Une élite rejette avec frénésie le rationalisme et le progressisme scientiste, qui étaient au XIXe siècle l'apanage des hommes tandis que les femmes avaient pour la plupart refusé d'abandonner les douces consolations du mysticisme religieux et du sentimentalisme pudibond. Ces artistes, ces intellectuels, cultivent l'émotion et l'anti-intellectualisme. Mais « le peuple » détourne ce mouvement anti-intellectuel, le met au service de la force brute. Le peuple masculin n'a pas complètement fait son deuil de son antique virilité. Alors, affolé par l'ébranlement de 1914, pour se rassurer, pour communier dans ce qu'il croit être ses bonnes vieilles valeurs de l'honneur et de la force, surtout dans les pays vaincus, mais aussi dans les pays vainqueurs, l'homme en rajoute dans le culte de la force. Parade excessive, démesurée, dérisoire si elle n'était tragique, virilité surjouée du menton de Mussolini comme des défilés d'ouvriers sur la place Rouge, de la fureur d'Hitler à Nuremberg ou des défilés cadencés de la SA, virilité de caf'conc'. Ce besoin de surjouer est une preuve de faiblesse. Cette virilité fasciste ou communiste est un fantasme d'homosexuels, Gide à Moscou, Brasillach à Berlin. Ce dernier ne s'est jamais inquiété des déportations d'homosexuels allemands par les nazis.

Dans la fureur des résistants, authentiques ou de la dernière heure, qui tondent les femmes françaises à la Libération, on retrouve la souffrance de l'homme dévirilisé par la défaite, qui se venge sur la femme qui a couché avec l'Allemand, le vainqueur, l'Homme. Avec un pénis en érection comme une arme.

Les enfants de ces hommes et de ces femmes seront les soixante-huitards aux cheveux longs et aux manières de filles. Comme s'ils voulaient dire à leurs pères que la comédie avait assez duré, qu'elle ne trompait personne, qu'eux en tout cas ne la joueraient pas, que le mâle incarnait la guerre, la mort, et qu'ils voulaient désormais jouer dans le camp du bien, de la paix, de la vie. Peace and love. Un temps pourtant, une partie de ces jeunes gens a par le gauchisme, le trotskisme, le maoïsme, et même l'action terroriste pour certains d'entre eux, réinvesti les valeurs viriles, rejoué la résistance, la clandestinité, la violence. Ça n'a pas duré. Le fardeau de l'homme blanc est trop lourd à porter. Vis-à-vis des peuples colonisés, évidemment, mais aussi vis-à-vis des femmes. Les années 1970 sont le temps de toutes les expérimentations, transgressions, inversions ; John Lennon se retire pour jouer les mères au foyer pendant que Yoko Ono incarne la femme d'affaires, dure, impitoyable.

Virile. Les hommes assistent à l'accouchement de leur femme, sont même présents aux séances d'accouchement sans douleur. Ils découvrent « la féminité qui est en eux », ils s'occupent des tout-petits, ils s'en occupent même parfois de trop près, comme le racontera honnêtement Daniel Cohn-Bendit, ils laissent parler leur sensibilité, leur créativité, leur sens du dialogue. Les hommes modernes sont des papas poules qui langent, maternent, donnent le biberon. Ils veulent eux aussi être porteurs de l'Amour et non plus seulement de la Loi. Être des mères et non plus des pères. Des femmes, et plus des hommes.

Dans un premier temps, les femmes ont applaudi ; elles ont toujours rêvé d'avoir auprès d'elles des secondes mères. Dans un second temps, elles déchantent ; dans *La Tache* de Philip Roth, la jeune Française avoue qu'aucun homme américain ne l'attire, car les mâles d'outre-Atlantique ne cessent de parler de couches, de nuits blanches, de biberons ; elle les a surnommés les « papas Pampers ». Trop tard. La machine est lancée. Les hommes sont heureux, comme soulagés d'un poids. Selon un sondage réalisé pour *Enfants magazine* en juin 2005, 38 % des hommes voudraient être enceints si la technologie le permettait. Presque un homme sur deux voudrait connaître les joies de l'enfantement ! Et 40 % des femmes approuveraient. Dans le même temps, les femmes les quittent, l'ère du divorce de masse s'ouvre, sans que personne ne mette en relation les deux phénomènes. Au contraire.

Ce n'est pourtant pas la première fois que l'homme est tenté d'abandonner le lourd fardeau qu'il a entre les jambes. Au XVIIIe siècle déjà,

Montesquieu ou Rousseau pestaient contre le pouvoir des femmes, la société efféminée. Non sans raison. Les femmes de la haute société ont alors acquis un pouvoir considérable. Madame de Pompadour gouverne réellement sous Louis XV. C'est elle qui inspire le grand renversement d'alliances (en faveur de l'Autriche, notre vieil ennemi, et contre la Prusse, notre allié depuis Richelieu) et qui finit par avoir la peau des Jésuites. La gauche philosophique l'applaudit. Dans les salons, ce sont les femmes qui organisent la rencontre prophétique des deux élites : celle, aristocratique, de la naissance et celle, bourgeoise, de l'intelligence. Mélange authentiquement révolutionnaire. Ce sont elles qui sélectionnent les heureux élus, selon leurs propres critères, au grand dam d'un Rousseau qui n'est jamais dans le bon ton. Dès la fin du XVIIe siècle, Madame de Maintenon avait eu une réelle influence sur les affaires politico-religieuses ; alliée à ses confesseurs jésuites, elle profite de l'ignorance crasse du roi en matière religieuse (il n'a jamais ouvert la Bible, il croit entièrement ce que lui disent les prêtres, dans la grande tradition catholique). Quelques années plus tard, les femmes de pouvoir arrivent en pleine lumière.

Les féministes d'aujourd'hui n'aiment pas qu'on leur rappelle cette époque. Seules les plus subtiles tentent de réhabiliter ces grandes dames. On se souvient de la magnifique *Allée du roi*, qui faisait un éloge vibrant de Madame de Maintenon. Les autres répètent en boucle que seules les femmes de la haute société étaient concernées par cette évolution – il est bien connu que le roi demandait leur avis aux paysans mâles ! – et que les femmes devaient passer par le lit du roi pour avoir de l'influence. On pourrait pourtant compter sur les doigts d'une main les femmes politiques, de stature nationale, qui ne soient pas passées dans les bras de l'un des trois monarques français de ces trente dernières années : Giscard, Mitterrand, Chirac. Et la loi sur la parité a décentralisé le droit de cuissage politique, surchargeant les listes pour les élections municipales et régionales d'épouses et de maîtresses. Mais il paraît que cela ne se dit pas.

Pour en revenir au XVIIIe siècle, la Pompadour ne reste pas longtemps la maîtresse du roi, mais garde jusqu'à sa mort son influence politique. Les hommes ne s'y trompent d'ailleurs pas. C'est politiquement que ces femmes sont attaquées. Le duc de Saint-Simon, qui vomit Madame de Maintenon, lui met sur le dos la révocation de l'édit de Nantes. On se souvient que, dès le milieu du XVIIe siècle, Molière avait brocardé précieuses ridicules et femmes savantes qui préféraient le livre au lit, le savoir au plaisir, et cherchaient déjà à contrôler le langage et les appétits masculins. Trois siècles avant le « politiquement correct » et les lois sur le harcèlement sexuel ! À la fin du siècle, la réaction antiféminine se précise. Rousseau a tonné contre ces femmes qui ne s'occupent pas de leurs enfants (lui qui a abandonné les siens) ; il veut qu'elles retournent à leur « état de nature » ; les nouvelles générations le suivent, qui retrouvent les joies de l'allaitement. Le peuple peste depuis des années contre l'Autrichienne et les petits marquis efféminés. La dénonciation prend un tour volontiers sexuel, scatologique. C'est injuste, Marie-Antoinette, élevée à la cour de la prude Marie-Thérèse, n'est pas Messaline. Mais les sans-culottes sont, à l'aune de notre époque, d'infâmes machos. La Révolution guillotine le roi (et donc le père, comme le notera très justement Balzac), mais si Capet est condamné à mort, c'est parce qu'il a subi l'influence de l'Autrichienne et des émigrés efféminés, qu'il n'a pas été le père que l'on attendait, qu'il n'a pas été l'homme viril que l'on espérait. Quand il présente son fils à la foule, elle ricane que ce n'est pas son fils, qu'il est cocu. Impuissant. Son impuissance sexuelle des débuts de son mariage a couru le Tout-Paris. Le seul roi de France qui n'eut pas de maîtresses fut aussi le seul qui finira guillotiné.

Le surhomme ramassa sa couronne tombée dans le caniveau. Le César. Le roi des batailles. Napoléon. La République ne reniera jamais cet héritage. Elle sera virile et fière de l'être. Les historiens français du XIXe siècle ont fait le décompte et il n'est pas vraiment favorable à l'immersion des femmes dans la sphère politique. Le divorce d'Aliénor d'Aquitaine (grande prêtresse de l'amour courtois et idole des féministes modernes) d'avec Louis VII et son remariage avec un Plantagenêt est à l'origine de la guerre de Cent Ans ; Catherine de Médicis décide son fils Charles IX à jeter à l'assaut des protestants les massacreurs de la Saint-Barthélemy ; Madame de Maintenon pousse son cher Louis XIV sur les chemins de la bigoterie, de la révocation de l'édit de Nantes et des persécutions des protestants ; la marquise de Pompadour conçoit le grand renversement d'alliances avec l'Autriche qui conduit Louis XV à la catastrophe de la guerre de Sept Ans et du traité de 1763 où nous perdons nos conquêtes aux Indes et au Canada ; sans oublier, bien sûr, l'influence délétère de Marie-Antoinette qui emmène Louis XVI sur les chemins dangereux de la trahison et de la guillotine. N'en jetez plus.

Pour Michelet, les femmes, manipulées par les prêtres, sont les agents de la contre-révolution à Paris comme en Vendée, jusque dans chacun des foyers des braves hommes républicains. La République retiendra ses leçons, surtout lorsqu'au XIXe siècle les femmes suivront massivement la robe des curés. Ainsi, quand on nous serine aujourd'hui que la France est en retard, qu'elle n'a donné le droit de vote aux femmes qu'en 1944, que notre classe politique est la moins féminisée d'Europe, on fait fausse route : nous sommes en retard parce que nous fûmes en avance ; la République a renvoyé les femmes à leurs casseroles parce que la monarchie les en avait sorties. La « féminisation » de notre vie politique actuelle, de son personnel et surtout de ses valeurs, au nom d'un progressisme démocratique, est une autre manière de déceler le reflux des principes qui fondent la République depuis deux siècles. La Révolution virile, austère, puritaine, tombe avec Robespierre. Avec le Directoire commence une nouvelle période où les femmes reprennent une place prépondérante. Dans la société des incroyables et des merveilleuses, la liberté des femmes sidère l'Europe entière : elles passent aisément d'un amant à l'autre ; elles se marient et divorcent aussi vite ; les taux de divorce (qui conclut un mariage sur trois à

Paris) sont presque similaires aux nôtres ; les familles sont éclatées, l'éducation des enfants laisse à désirer. Les esprits chagrins notent que les jeunes gens connaissent mieux les chiffons que les livres. C'est cette société « décadente », comme on ose encore dire à l'époque, que Napoléon a sous les yeux lorsqu'il entame les travaux du Code civil. Sous ses yeux, exactement, puisque sa femme, Joséphine, plus légère que sensuelle, est l'incarnation de cette société. C'est pour les contenir – la société et son épouse – que le Code civil, tout en conservant le principe du divorce, encadre très strictement la liberté sociale de la femme. Ce n'est donc pas une quelconque réaction, mais au contraire, l'Empire se fait, là comme ailleurs, le digne continuateur de la Révolution. Napoléon est un voltairien de la plus belle eau, mais l'Église se servira du cadre qu'il a laissé pour reprendre, au XIXe siècle, son autorité sur une société déchristianisée. Pour cela, elle passera par l'intermédiaire des femmes.

C'est cette histoire qui connaît son ultime incarnation en Yvonne de Gaulle. Catholique fervente, discrète jusqu'à l'effacement, admiratrice de son grand homme jusqu'à la dévotion, elle semble incarner les valeurs féminines telles que les rêvait la société du XIXe siècle sortie de la Révolution française. On a longtemps prétendu qu'elle avait empêché Olivier Guichard de devenir ministre parce qu'il avait une liaison avec une femme mariée – à un autre ministre d'ailleurs ! La rumeur était fausse. Mais elle en dit beaucoup sur ce monde qu'incarnait « tante Yvonne ». Et ce n'est pas un hasard. Comme l'écrit Philippe Muray dans *Histoires* : « C'est en mai 1968 que tonne pour la dernière fois la voix du père [celle de de Gaulle, *N.d.A.*]… Après viendra le temps des papas poussette. »

Les jeunes gens nés en 1945 achèveront en effet le travail du siècle. Dès leur naissance, comme le note Hélène Vecchiali, « le ministère de l'Instruction publique est devenu le ministère de l'Éducation nationale. Au projet paternel d'instruire [*instruere* signifiant "armer pour la bataille, équiper, outiller", *N.d.A.*], s'est substitué le projet maternel d'éduquer [*educare* ayant comme sens premier… nourrir !, *N.d.A.*]. L'instruction qui fait appel à l'intelligence, aux capacités rationnelles, est supplantée par l'éducation, avec sa dimension affective, tournée vers l'épanouissement de l'enfant[1] ». Les baby-boomers seront à la hauteur de ce projet grandiose. D'instinct, ils ont compris la faiblesse réelle de leur père. Ils faisaient semblant. Ils n'étaient déjà plus que l'ombre de leurs ancêtres. Une fausse révolution pour rire suffira à les abattre. Ils pétaient de trouille devant leurs fils hilares. Ceux-ci vont d'emblée montrer qui ils sont, ce qu'ils veulent vraiment : ils ne prennent pas le pouvoir politique, ce symbole phallique, que de Gaulle récupérera d'un de ces coups de bluff dont il a le secret. Une journée des dupes de plus dans l'histoire de France. De Gaulle fut comme un séducteur éconduit qui reprend en une nuit la femme qu'il aime, mais qui ne se remet pas de son exploit. Et en meurt. Ils ne prendront pas le pouvoir, nos joyeux baby-boomers, ils le

1. Hélène Vecchiali, *Ainsi soient-ils*, Calmann-Lévy, 2005.

mineront. Ils vont le laisser rouiller, le pouvoir, comme un vieux canon inutile. Ils ne veulent pas du pouvoir, mais de l'autorité. Ils refusent les responsabilités qui vont avec le pouvoir, ils désirent imposer leur morale. Ce sont des prêtres.

Ces baby-boomers seront la génération de tous les renoncements, de tous les abandons, toutes les irresponsabilités. Cette génération veut abandonner la pulsion de mort qui est le propre de la virilité depuis des millénaires. Ils veulent être du côté de la vie, du côté des femmes. Mais c'est cette pulsion de mort qui depuis toujours structure la loi et les interdits. Pour la première fois, une génération bénéficia à la fois de la paix, de la prospérité et de la liberté sexuelle. Ils vont en profiter. C'est ce qui donne à cette période son air festif, de libération, comme s'ils abandonnaient une ancienne armure trop lourde à porter. Une armure de deux mille ans, qui les avait faits maris et pères. Maris devenus monogames forcés alors qu'ils préféraient gambader au gré de leurs désirs et pulsions, sans se soucier de la descendance qu'ils laissaient au gré du vent. C'est l'Église qui sacralisera le mariage. Même le judaïsme se contentait d'un simple contrat, concédé par l'homme à la femme dans le cadre d'une structure familiale polygame. Dans *Le Sexe et l'Effroi*, Pascal Quignard montre comment le christianisme a imposé aux hommes rétifs les normes de la sexualité féminine, la monogamie, la tempérance sexuelle, le sentiment lié au désir, l'ostracisation de l'homosexualité. C'est l'Église qui va peu à peu éradiquer les pratiques érotiques, les bains collectifs et l'habitude conservée jusqu'au Moyen Âge d'offrir sa femme à son hôte de passage. Bien sûr l'Église tolérait les débordements virils ; bien sûr, il y avait les maîtresses et le bordel ; bien sûr, les mariages continueront d'être arrangés jusqu'au début du XXe siècle, c'est-à-dire que le social l'emporte encore sur l'amour, c'est-à-dire que la conception patriarcale du mariage l'emporte encore sur la conception matriarcale. Mais après la guerre de 1914 c'est fini, l'homme a renoncé. Le romantisme féminin l'a définitivement emporté.

4

C'est une victoire à la Pyrrhus. Les hommes jettent par-dessus bord les « devoirs » jadis attachés à leurs privilèges. Dans son ouvrage de référence, *L'Un et l'Autre Sexe*, la grande ethnologue américaine Margaret Mead montre que la paternité n'est certes qu'une « invention sociale », mais que cet acquis, venu du fond des âges, et répandu partout à travers la planète, dans toutes les civilisations, même les plus primaires, est le propre de l'homme. Et pas n'importe quelle forme de paternité : « L'aspect typiquement humain de cette entreprise ne réside pas dans la protection assurée par l'homme à sa femme et à ses enfants. On la trouve aussi chez les primates [...]. Chez nos voisins les plus proches, les primates, le mâle ne pourvoit pas à l'alimentation de la femelle. Il faut qu'elle se débrouille toute seule. » En se révoltant contre l'Église et son enseignement, les féministes ont cru s'émanciper du joug masculin ; elles n'ont pas vu que les hommes, eux, remettaient tout simplement en cause leur fragile humanité. « Les hommes apprennent la nécessité de subvenir aux besoins des autres ; parce qu'il est acquis, ce comportement reste fragile et peut se perdre facilement si les conditions sociales ne sont plus contraignantes [...]. Lorsque la famille se désagrège – tel est l'effet de l'esclavage, du servage, des bouleversements sociaux, guerres, révolutions, famines, épidémies, brusques passages d'un type d'économie à l'autre – le fil est rompu. Il n'est pas rare, en ces périodes où sont détruites les bases sur lesquelles se fondait la continuité sociale, que les hommes pataugent et s'embrouillent et que l'unité élémentaire, le donné biologique, redevienne la mère et l'enfant [...]. Cette continuité de la famille, son rétablissement après de terribles catastrophes ou des bouleversements idéologiques n'est pourtant pas une garantie. Notre génération ne peut se reposer sur l'idée qu'il en a toujours été ainsi. Les êtres humains ont laborieusement appris à être humains[1]. » C'est sans doute une autre manière de voir les conquêtes des années 1970.

Prenons-les dans l'ordre. D'abord la libéralisation du divorce. Les femmes se sont précipitées sur l'aubaine. Elles en rêvaient depuis des siècles. Elles se jugeaient toutes mal mariées. Elles referaient leur vie. L'homme de leur vie, c'était l'autre. Le prince charmant est toujours à venir. L'homme n'avait pas les mêmes rêves. Il n'avait aucun mal à vivre plusieurs vies parallèles, il se partageait aisément entre l'officielle et l'officieuse, bobonne et la maîtresse pour les week-ends en goguette. Il promettait divorce et remariage, qui ne venaient jamais. Il se

1. Margaret Mead, *L'Un et l'Autre Sexe*, Gonthier, 1966 (Folio, 1988).

moquait cyniquement des rêves romantiques de son épouse comme de ceux de sa maîtresse. Aujourd'hui encore, les divorces sont massivement demandés par les femmes. Mais les hommes évoluent. Ils partent de plus en plus les premiers, même si ce sont toujours les femmes qui, en rétorsion, dégainent l'arme du divorce. Ils ont des aventures, vivent des grandes histoires, ont rencontré quelqu'un, ont des coups de foudre. Ils couvrent allégrement leurs pulsions, leurs désirs de mâle, avec un discours sentimental digne des journaux féminins. Ils se déculpabilisent : ils ne baisent plus, ils aiment. Ils ne peuvent rien maîtriser, c'est l'amour qui les emporte sur son cheval ailé. Comme on l'a vu précédemment, ils n'ont souvent pas conscience de leur duplicité, tant ils sont aliénés par le discours dominant. Ils sont sincèrement persuadés de vivre une grande histoire d'amour, même si elle ne dure que quelques semaines.

Les hommes ont retourné le discours féminin comme un gant. Contrairement aux commentaires convenus depuis trente ans, il ne me semble pas que le divorce de masse soit la manifestation de l'individualisme régnant. La plupart des divorcés se remettent très vite en ménage ; ceux qui ne le font pas, ou n'y parviennent pas, en rêvent. Ce n'est donc pas l'individu mais le couple qui règne. Le couple, roi de l'époque. C'est ce décalage entre le couple rêvé et le couple réel qui pousse les femmes à divorcer. Ce décalage a toujours existé. De la princesse de Clèves à Madame Bovary, les femmes ont rêvé du couple idéal. Les fantasmes des hommes étaient différents, dans la conquête et la collection. Tant que l'idéologie masculine s'imposait à la société, le mariage demeura un arrangement commercial. Et les affaires ont besoin de la durée et de tranquillité. À partir du moment où la société se féminise, c'est le couple et non le mariage qui devient la grande quête. L'affaire commerciale devient histoire de passion, d'amour. Le couple est exalté, déifié. C'est justement pour cette raison qu'il devient fragile. Dans une société patriarcale, qui interdit le divorce et confine les femmes à la maison, l'irrépressible bovarysme féminin est dans les fers. Il souffre, meurtri, frustré. Au tournant des années 1970 du XXe siècle, la conjonction du divorce facile et de l'accès des femmes au salariat libère soudainement cet éternel bovarysme, lui donne une puissance insoupçonnée, qui va tout emporter sur son passage. De rare et mal vu, le divorce entre dans l'ère des masses. Au lieu de contrecarrer les effets de cette passion incontrôlée, comme le fit Napoléon avec le Code civil, nos politiques, de droite comme de gauche, ont choisi d'accompagner, d'accélérer, d'amplifier le phénomène. C'est que toute la société, hommes et femmes, est emportée par le romantisme du couple. C'est toute la société, hommes et femmes, qui rêve de devenir femme.

Les hommes ne restent pas souvent seuls. Les femmes, si. Une vieille habitude de l'introspection les garantit contre l'illusion. Elles sont plus exigeantes. Elles rêvent toujours du prince charmant, même si elles le nient. Surtout si elles le nient. Les plus fines découvrent, mais un peu tard, que rencontre après rencontre, histoire après histoire, c'est toujours la même chose, les mêmes désillusions, les mêmes contraintes. Si, comme l'a dit Lacan, l'amour est la rencontre de deux névroses, il ne peut pas en être autrement. Chacun rencontrera celui dont la névrose s'encastrera au mieux dans la sienne. Elles découvrent donc, mais un peu tard, que le rêve de « refaire sa vie » relève largement du mythe, que leur divorce a été vain. Comme la plupart des divorces. Elles sont seules. Avec leurs enfants. Tous les journaux féminins ont décrit à satiété la fusion entre la mère divorcée et le fils. C'est encore pire que cela. Les hommes sont loin. Leur rôle de père était ingrat : ils devaient séparer la mère de son fils, le sortir de la fusion originelle, l'ouvrir au monde. Ils devaient subir la fureur du fils et de la mère. Être le salaud. Longtemps ils l'ont fait, tenant leur rôle stoïquement. Les femmes les ont libérés de ce rôle de méchant. Ils exultent en silence. La plupart ont déserté. Ce rôle de père leur pesait depuis des millénaires sans qu'ils osent le dire. Pour une poignée qui prend son rôle à cœur, combien de pères absents, qui disparaissent carrément de la vie de leurs enfants ? L'aubaine. Jadis, ils ne s'en occupaient pas beaucoup, mais ils les nourrissaient, et puis ils étaient un symbole, celui de la virilité, de la loi, du monde. C'était fatigant. Les nouveaux hommes en ont eu assez d'incarner la loi. La répression. D'abord, ils ont voulu incarner l'amour, la vie. Des papas poules. Et puis ils s'en sont lassés aussi. Adieu couches, biberons, poussette. Maintenant, les femmes restent seules avec leur progéniture. Au mieux, les hommes paient pour se débarrasser de leurs responsabilités. Au pire, ils ne paient pas. Les mères célibataires n'ont jamais été aussi nombreuses ; jamais aussi pauvres.

Devant ce déni de responsabilité, devant cette fuite jubilatoire des hommes, les femmes s'affolent, fulminent, vindicatives souvent. Comme elles se sont elles-mêmes dépouillées des liens anciens que tissaient la religion, le devoir, le sentiment de protection que l'on avait inculqué aux hommes, elles sont obligées de faire appel à la société, à la loi, au pouvoir coercitif, en somme à une nouvelle forme de contrainte pour rattraper des hommes égaillés dans la pampa joyeuse de l'irresponsabilité. Tout est bon pour ça. Les juges, le plus souvent des femmes, font saisir les comptes des maris indélicats. Les lois empilent les obligations « alimentaires » du mari. La société est confrontée à une contradiction majeure : prônant une liberté individuelle exclusive, elle favorise de plus en plus le divorce en self-service. Mais pour corriger les effets dévastateurs de ce divorce massifié, elle accumule les contraintes pour encadrer les débordements de la sexualité masculine. Au nom du progrès et de l'égalité évidemment. C'est ainsi que l'on a adopté une loi égalisant les destins des enfants « légitimes » et ceux des enfants « naturels ». Au nom de la sacro-sainte égalité, on transmettait ainsi un message simple à l'homme : tu seras obligé de reconnaître tous tes enfants et de subvenir à leurs besoins. On ne s'arrêtera pas là. Le marivaudage sexuel de l'homme est de plus en plus mal vu. On se souvient du corps d'Yves Montand sorti de terre pour faire droit aux revendications d'une jeune fille dont la mère avait dû être une maîtresse parmi d'autres du séducteur patenté. Même mort, Don Juan est désormais sous surveillance. Un récent projet de loi se propose d'allonger de deux à dix ans le délai dont un enfant dispose, après sa majorité, pour entamer une action en recherche de paternité. On fait tout pour permettre à la femme de forcer l'homme à devenir père. « Lorsqu'on cherche à comprendre pourquoi les hommes sont traités de cette manière, on nous dit qu'ils n'avaient qu'à faire attention, c'est-à-dire utiliser un préservatif. Cet argument rappelle pourtant désagréablement celui qu'on employait au début des années 1970 précisément pour s'opposer au droit des femmes à avorter au prétexte qu'on leur avait déjà accordé la pilule...[1]. »

Dans le monde d'autrefois, les règles étaient clairement définies : la femme a droit au respect, mais souvent aussi à la frustration ; l'homme a droit au plaisir, mais il a des devoirs envers la jeune fille qu'il séduit ; si celle-ci « faute », il doit réparer. Sinon, c'est l'opprobre pour elle, mais aussi pour lui. Globalement, ces règles sont à peu près respectées jusqu'aux années 1950. Elles sont à la fois inhibitrices et rassurantes.

Ce monde est mort et enterré. Les femmes ont la haute main sur leur désir et la reproduction ; les hommes n'ont plus le pouvoir sur rien dans la famille ; en échange, ils se défaussent des responsabilités qui allaient avec. Ils ne veulent plus réparer. Ils n'en ont plus besoin, entre pilule et avortement. Quand les femmes sont enceintes, ils font souvent pression sur elles pour qu'elles

1. Marcela Iacub, « Géniteur sous X », *Libération*, 25 janvier 2005.

avortent. Les psys savent pourtant bien que l'accident n'existe pas, que l'inconscient a avoué un « désir d'enfant ». Les femmes ont ainsi découvert le prix à payer pour leur nouveau pouvoir : elles se donnent sans rien obtenir en échange. Quand elles veulent un enfant, l'homme se défile. Furieuses de ce marché de dupes, hantées par la marche inexorable de leur horloge biologique, elles lui déclarent la guerre, par la loi – paternité obligatoire – et par la fourberie : elles font aux hommes des enfants dans le dos. Elles « oublient » de prendre la pilule. Les hommes sont coincés, même s'ils n'épousent pas. Dans un monde sans règles définies, tous les coups sont permis. Le plus souvent, la mort dans l'âme, elles se résignent à avorter.

L'avortement, autre conquête historique. « Notre corps nous appartient », on se souvient des slogans. Les hommes n'ont rien compris. Ils ont cru qu'elles coucheraient avec qui bon leur semblerait, sans injonction de leur père ou de leur mari. Obsession d'hommes. Les femmes pensaient à leur ventre, leurs entrailles, leurs enfants. Elles voulaient dire : nos enfants nous appartiennent. On a droit de vie ou de mort sur eux. Comme les hommes dans la Rome antique. Depuis, les enfants avaient toujours appartenu au maître de l'heure, qu'on l'appelle Dieu, la cité, la patrie ou le parti. Depuis les années 1970, dans les sociétés occidentales, les enfants appartiennent aux femmes. Avec la loi sur l'IVG, Valéry Giscard d'Estaing et Simone Veil n'avaient pas de telles ambitions prométhéennes ; Simone Veil voulait régler humainement le sort barbare que subissaient les femmes qui avortaient illégalement ; Giscard ajoutait à ces considérations humanitaires, qu'il avait faites siennes, des arrière-pensées plus tactiques, mais qui se révélèrent fausses : l'électorat de gauche ne lui en sut pas gré et vota quand même Mitterrand ; certains catholiques de droite se radicalisèrent et le sanctionnèrent en 1981. Mais le cadre « prudent » qu'avaient tracé les auteurs de cette loi fut rapidement enfoncé. Le nombre annuel des avortements se stabilisa autour de deux cent mille. Sur sept cent soixante-quatre mille cinq cents naissances, selon les derniers chiffres. Dans un article récent du *Figaro*, Emmanuel Le Roy Ladurie expose que ce rapport (un sur cinq) correspond aux taux de mortalité infantile, au sens classique, sous le règne de Louis XV. « En somme, tout se passe comme si on avait reculé pour mieux sauter, je veux dire reculer de l'aval de la première année de l'existence du bébé vers l'amont de la première gestation du futur enfantelet[1]. »

Deux siècles pour ça. Ces chiffres ne sont pas sans conséquence sur le destin de nos pays. Les plus grands démographes nous alarment quant au devenir de l'Allemagne ou de l'Italie, le peuplement de ce dernier pays devant tomber à vingt millions de personnes d'ici quelques décennies seulement. Depuis trente ans, on s'extasie sur la maîtrise parfaite, entre contraception et avortement, de la fécondité par les femmes. On ne dit jamais que la fin de cette histoire est

1. Emmanuel Le Roy Ladurie, « Jacques Chirac et l'héritage de Louis XV », *Le Figaro*, 5 mai 2005.

funeste, qu'elle se conjugue justement avec la fin de l'histoire, avec la disparition programmée des peuples européens. Comme si un spectre hantait cette féminisation des sociétés occidentales, qui commença sous de si riants auspices, comme si cet appel à la vie, à l'amour, *make love not war*, devait finir tragiquement par la disparition collective. Comme si le mâle était maudit, et retrouvait *in fine* cette mort qu'il ne voulait plus donner.

Face à cette rare dépression démographique, les progressistes conséquents et les technocrates compétents ont une solution : l'immigration. C'est d'ailleurs historiquement ce qui s'est passé en France. Les grandes lois sur le divorce et l'avortement sont exactement contemporaines d'une autre législation, celle sur le regroupement familial. Ce sont d'ailleurs des chiffres du même ordre de grandeur, entre le nombre annuel d'avortements et le nombre d'entrants sur le territoire français par la procédure du regroupement familial. Cette fois encore, le président de la République Valéry Giscard d'Estaing (et son Premier ministre Jacques Chirac) voulut se montrer sous son meilleur jour humaniste ; il fut là aussi débordé. Il offrait le « regroupement familial » comme une récompense aux – rares – immigrés qui échapperaient à l'obligation de retour dans leur pays d'origine. Mais personne ne rentra, sauf quelques travailleurs portugais. Et la machine du regroupement familial tourna à plein régime. Elle a transformé l'immigration de travail en une immigration de peuplement.

Symboliquement, tout s'est passé comme si les vieux peuples fatigués renonçaient à se reproduire eux-mêmes et appelaient à la rescousse des plus vigoureux, plus juvéniles. Tout s'est passé comme si les hommes français et européens, ayant posé leur phallus à terre, ne pouvant ou ne voulant plus féconder leurs femmes devenues rétives, avaient appelé au secours leurs anciens « domestiques » qu'ils avaient émancipés. Tout s'était passé comme si la France, et l'Europe, devenue uniformément femme s'était déclarée terre ouverte, attendant d'être fécondée par une virilité venue du dehors.

Trente ans après, le jeune Arabe est le non-dit le plus lourd de la société française. Il est à la fois rejeté et désiré, haï et fantasmé. Il est l'inacceptable et le vague regret. Les féministes le vomissent mais elles n'osent pas le dire par héritage anticolonialiste. Elles sont furieuses de voir les cités revenir à l'âge de pierre antéféministe et, en même temps, sont ravies de trouver un repoussoir mâle aussi parfait. Il est le barbare dans Rome, le loup entré dans Paris. Il a un langage proche de celui de Neandertal. Il est l'homme d'avant la civilisation. Il réagit de manière binaire, « lopesa » ou « respect », putes en minijupes ou saintes voilées, putain ou vierge. Il n'a pas lu Stendhal. Il n'a pas lu René Girard. Pas Dostoïevski et *L'Éternel Mari*. Mais il offre parfois sa conquête à ses amis au cours des fameuses « tournantes ». Il n'a rien lu mais sa chair est parfois triste. Des archétypes masculins. Des caricatures. Ils viennent d'un univers où les hommes ne sont pas féminisés, où ils se conduisent selon leurs pulsions, mais où leurs pulsions sont contenues par un cadre rigide, familial et religieux. Or ils vivent dans un pays où ce cadre rigide a explosé. Ils sont des conquérants dans une ville ouverte. Les autres jeunes les observent avec un mélange de frayeur et d'envie. Ces Arabes font tout ce que leur maman leur a interdit. De même seuls les jeunes « Blacks » peuvent s'emparer de l'imagerie macho ; les chanteurs de rap avouent et assument un donjuanisme joyeux, sans complexes, parfois violent. Nos enfants si bien élevés ne s'avouent pas qu'ils aimeraient les imiter. Un tout petit peu. Une fois seulement.

Certains osent. Ils transgressent. Ils réagissent. Ils imitent sans le savoir. Eux aussi, ils jouent aux petits coqs, petits coqs contre petits coqs. Ils se côtoient dans les cités de banlieue, ils sont rivaux pour le boulot ou les filles. Ils sont ouvriers ou employés ou chômeurs, blancs. Ils votent Le Pen. En masse. En 2002 comme en 1995. Ils ne votent pas communiste ou même trotskiste. C'est bon pour les jeunes des écoles. Comme si Le Pen, sa grande gueule, ses provocations, ses rodomontades, son parler cru, ses poses de gladiateur, dessinaient un emblème viril. Le « Menhir », comme il se surnomme lui-même. Une sorte de phallus par procuration, qui affirme leur virilité contre celle, désinhibée, de leurs rivaux arabes. Aux États-Unis, cette récupération politicienne de la nostalgie virile a pris une ampleur inédite. Elle est depuis longtemps repérée, diagnostiquée, calibrée. George Bush ne quitte plus ses bottes de Texan et son chapeau de cow-boy. Il affectionne un parler rugueux, des airs de plouc et des sarcasmes anti-intellectuels. Il faut rappeler que cet homme que l'on prend en France pour un imbécile est issu d'une lignée patricienne, qu'il a fait ses études à Yale. Mais il joue – fort bien – son rôle : le gars à l'ancienne, l'héritier de John Wayne, l'homme qui ne supporte pas les nouvelles manières de vivre et de penser féminines, venues de la côte Est. La mise en scène est remarquablement efficace. Lors de sa triomphale réélection de 2004, George Bush a mordu sur l'électorat noir et hispanique, grâce au soutien des jeunes hommes des classes populaires. De nombreuses mères de famille ont voté pour lui, tandis que son adversaire démocrate récoltait les voix des femmes seules et des mères célibataires. Deux mondes. On peut être sûr que, pour la prochaine élection, si Hillary Clinton était la candidate choisie par le Parti démocrate, les républicains chercheraient comme remplaçant de George Bush le sosie de John Wayne. Et gagneraient encore.

En France, nous n'en sommes pas là. Nos politiques ont trente ans de retard sur l'Amérique. Ils jouent encore à Kennedy, comme Nicolas Sarkozy qui ne quittait pas la main de Cécilia et fit photographier son dernier fils sous son bureau de la place Beauvau, comme le célèbre John-John dans le bureau ovale. Nos politiques en sont encore à découvrir les délices et poisons de la « couplisation ». Il est vrai que l'Europe se refuse à suivre la pente jugée « machiste » de l'Amérique. Elle se veut un modèle de douceur, de paix, de tolérance. De féminité. Dans les quartiers populaires, aucun politique ne trouve grâce aux yeux des jeunes hommes. Tous ne peuvent pas voter Le Pen évidemment. Alors ils trouvent des stratégies de substitution.

Le cas des jeunes Juifs des quartiers populaires, dans Paris ou en banlieue, est fort instructif. Ils ont eux aussi trouvé une virilité par procuration. Ils sont sionistes. Israël et son armée, et ses chars, ses avions, tous ces phallus de fer et d'acier, son mépris des organisations internationales, les coups de menton virils d'Ariel Sharon. Ils ne se trompent pas. Le sionisme est d'abord une tentative historique d'en finir avec l'image « féminisée » du Juif européen, ce Juif aux mains fines et de santé fragile, ce Juif du ghetto, étudiant en théologie, fouetté par des cosaques brutaux et avinés, ce Juif intellectuel des pays d'Occident, amateur de livres et d'objets rares, ce Juif qui n'abîme pas ses mains dans la terre ni à la guerre, ce Juif religieux qui refuse toute activité sportive. Ce Juif honni, le sionisme veut s'en débarrasser, il veut le régénérer par le travail de la terre (les kibboutz) et la guerre. Le soldat-paysan est le modèle du sionisme, pour enterrer définitivement le Juif féminisé de l'exil. Cette régénération explique que les dirigeants israéliens comme Sharon restent sourds aux appels de ceux qui les somment de cesser leur politique brutale à l'égard des Palestinens au nom des « valeurs juives ». Cette régénération explique aussi l'irréductible opposition du monde arabe à Israël. Dans l'imaginaire millénaire des Arabes, le Juif a toujours vécu à côté d'eux, pacifiquement, mais il ne pouvait pas porter d'arme, il avait un statut juridique et fiscal inférieur. Ils acceptaient volontiers que les Juifs les plus doués, les plus intelligents, les plus instruits, devinssent conseillers du roi, financiers ou écrivains. Des esprits raffinés et délicats comme les femmes, que l'on vénère tout en les tenant dans un statut second, inférieur, soumis. Mais une « femme » qui fait pousser des oranges dans le désert et gagne toutes les guerres contre des soldats arabes, des vrais hommes. Ils ne s'en sont jamais remis.

Pas étonnant dans ces conditions que les Arabes des banlieues françaises veuillent se venger sur les Juifs qu'ils ont sous la main. Ils ne comprennent rien aux enjeux géopolitiques. Ils veulent seulement venger la virilité perdue de leurs frères. Ils le font à la manière ancestrale. Avec les Juifs comme avec les femmes. Ou les « petits Blancs » assimilés à des filles, comme on l'a vu le 8 mars 2005 lors des manifestations écolières contre la loi Fillon. La violence et la férocité de ces ratonnades anti-Blancs furent même remarquées par le journal *Le Monde*. La plupart des commentateurs de gauche ont voulu y voir un conflit social. Certains osaient une grille de lecture ethnique. J'y vois, moi, la haine viscérale des « vrais hommes » pour les « tantouzes », de ceux qui savent se battre pour ceux qui ne savent pas se défendre. Ces jeunes gens, qui ont manifesté le 21 avril 2002 contre « le fascisme », ont vu cette fois le vrai visage du fascisme, qui est toujours virilité exacerbée, virilité humiliée qui, par réaction, par peur de sa propre féminité qu'ils voient dans le miroir que les autres lui tendent, devient sauvage. Barbare.

Comme tous les petits mâles depuis le début de l'Humanité, les jeunes Arabes ont peur des femmes. Peur de ces machines à castrer, peur de ne pas être à la hauteur de leur appétit qu'ils espèrent et craignent insatiable. Autour de la

Méditerranée, on règle depuis toujours cette peur de la féminité en exprimant une virilité exacerbée, surjouée, et en dissimulant les attraits de la sensualité féminine, cheveux et chevilles, poitrines et hanches, sous des vêtements amples, informes. Nos Arabes réagissent ainsi. Les plus religieux obligent leurs sœurs à se voiler ; les autres exigent des filles qu'elles portent les mêmes vêtements qu'eux, survêtements, tennis. Ainsi, grimées en garçons, elles leur font moins peur. Si elles persistent à se vouloir féminines, à vouloir leur faire peur, à mettre au défi leur virilité incertaine et fragile, alors, pour pouvoir les désirer, pour être sûr de bander, ils appliquent l'autre méthode masculine, le plan B des hommes depuis l'*Homo sapiens*, l'irrespect militant, d'autant plus furieux, violent même, qu'il est inquiet. Seules la « salope », la « pute » peuvent réveiller le désir fragile du mâle.

Dans les sociétés occidentales et chrétiennes, cette violence potentielle était canalisée par le mariage et le bordel. Dans les sociétés musulmanes traditionnelles, par la religion et la polygamie. La loi du père, sacrée, enseignée à coups de trique, et l'amour de la mère, inconditionnel. C'est ce monde qu'ils ne retrouvent pas dans nos contrées. La réaction masculiniste est décalée dans une société qui condamne la mascarade machiste, et où de plus en plus de jeunes hommes refusent ou craignent – voire les deux à la fois – le conflit, le combat, la violence. Autrefois, pour conjurer leur peur des femmes, les hommes jouaient au surhomme ; désormais, ils miment la femme.

C'est cette société que les jeunes Arabes vomissent.

Leur père fut ouvrier chez Renault ou Michelin ; il est devenu chômeur vivant de la charité publique ; dès que ce père diminué, humilié trois fois, parce qu'il était arabe, ancien colonisé, ouvrier, leur mettait une rouste, le voisinage, les assistantes sociales, la justice arrêtaient la main vengeresse. La loi de leur père fut donc humiliée, bafouée, interdite. Leur mère, qui craignait et admirait leur mari au pays, a vécu cette castration de la puissance virile non comme une libération, mais comme une suprême humiliation. La famille maghrébine a explosé. La loi du père a été foulée aux pieds. Le père est absent physiquement – il a abandonné sa famille pour une autre femme, une autre vie, un autre pays parfois – ou symboliquement : dévirilisé par le chômage, il a renoncé à imposer sa loi de fer, à ses garçons en tout cas. Leurs amis venus d'Afrique noire connaissent eux aussi, pour des raisons différentes – polygamie ou multiplication des familles pudiquement appelées monoparentales –, la même absence de référence paternelle. Les pères inexistants, et les mères vivant de l'aide sociale, quand ce n'est pas des trafics de leurs rejetons, personne ne tient ni ne structure ces enfants qui, déstabilisés, titubant entre deux cultures, errent dans ce qu'Emmanuel Todd appelle un « no man's land anthropologique ». Pour lui en effet, les structures familiales de chaque pays sont le substrat décisif des structures économiques et politiques. La famille inégalitaire anglaise donnerait le libéralisme et le régime parlementaire ; la famille égalitaire du bassin parisien serait à l'origine du culte égalitariste français ; la famille autoritaire germanique, la source des régimes longtemps autocratiques imposés par la Prusse. Si cette thèse, sommairement résumée ici, est fondée, les transformations familiales dans les pays occidentaux – du divorce de masse aux familles monoparentales et jusqu'à l'homoparentalité – provoqueront à terme des tsunamis politiques et sociaux. En France, la révolte des banlieues en novembre 2005 en serait le terrifiant prodrome. Les bandes de jeunes garçons sont un substitut à la famille d'autrefois. Il y règne la loi du clan, des caïds, le rapport de forces, la fascination pour l'argent et la frime. Le sentiment affectif d'appartenance est reporté sur son immeuble, son quartier, sa bande. Leur langage est étique, reflet de leur pensée sommaire. Volontairement sommaire. Voluptueusement sommaire. Comme une preuve supplémentaire de virilité, toute subtilité de pensée et d'expression étant assimilée à une preuve manifeste de décadence féminine. Cette société française féminisée, qui ne supporte pas la violence, l'autorité virile, les exhorte à entrer dans son doux giron. De s'intégrer. En 1974, lors de la crise pétrolière, les autorités françaises ont hésité entre le renvoi dans leur pays de ceux dont on n'avait plus besoin dans nos usines et l'accueil de ces futurs chômeurs. Nous avons choisi la solution « humaniste ». Notre société féminine ne supportait pas la cruauté de la rupture. Nous avons refusé la solution d'hommes, qui renvoient ceux qu'ils considèrent inconsciemment comme des rivaux dans la compétition pour la conquête des femmes.

Nous avons préféré la douceur d'une solution féminine, l'accueil, l'intégration. Ce mot devint incantation, religion, conjuration. Il remplaça le modèle traditionnel français de l'assimilation. Renoncer à assimiler les immigrés et leurs enfants, c'était renoncer à leur imposer – virilement – notre culture. Devant cette ultime preuve de faiblesse française, si féminine, les enfants de ces immigrés préféreront renouer avec la loi de leur père idéalisé, les venger. Leur mère les approuvait. Ils seraient leur revanche. Pour cela, ils transgresseront allégrement la loi française, cette marâtre qu'ils haïssent. Ils seront, eux, des hommes, dans cette société de « zessegon ». Ils vont « niquer la France ». La France, cette femme, cette « salope », cette « putain ». Eux, les hommes. Ils vont brûler, détruire, immoler les symboles de sa douce protection maternante, les écoles, les transports en commun, les pompiers. Ils vont caillasser les seuls hommes qu'elle leur envoie pour la défendre : les policiers. Ces flics qu'ils « haïssent ». Les seuls qui osent les affronter encore dans un combat entre hommes. Un combat où est en jeu la domination virile. Un combat qui ne peut être qu'à mort.

5

Dans les années 1970, on disait que les immigrés devaient faire venir leur femme et leurs enfants pour leur éviter d'aller voir des prostituées. Mais derrière l'humanisme affiché, on trouve un solide et classique raisonnement économique. Le capitalisme « avait besoin de bras pour faire le travail dont les Français ne voulaient pas ». Le raisonnement est biaisé. Ce n'est pas tant le travail qui est en cause que le prix payé pour ce travail. Cette question se pose avec d'autant plus d'acuité à la fin des années 1960, quand la croissance ininterrompue des Trente Glorieuses donne aux ouvriers des moyens de pression uniques dans l'histoire du capitalisme. La grande grève générale de Mai 68, le rêve de l'anarcho-syndicalisme à la française depuis le congrès d'Amiens en 1905, est l'apothéose de ce mouvement historique. Les salaires grimpent, grimpent, à peine rognés par l'inflation, le partage entre salaires et profits se tord au bénéfice des premiers. Face à cette baisse tendancielle du profit, déjà analysée par Marx en son temps, le capitalisme sort alors son arme traditionnelle, elle aussi analysée par le barbu allemand,

« l'armée de réserve », c'est-à-dire un sous-prolétariat de chômeurs, sous-qualifiés, immigrés, qui acceptent des rémunérations inférieures aux prix du marché, et pèsent mécaniquement à la baisse sur les salaires ouvriers. Mais cette réponse traditionnelle ne suffit pas. L'immigration même massive ne permet pas de retourner cette évolution défavorable au taux de profit. Les patrons français ont encore raffiné le système puisque, avec le regroupement familial, ils escomptaient trouver sur place leur main-d'œuvre de seconde génération. Jusqu'à la chute du mur de Berlin, ils ne pouvaient pas chercher leurs travailleurs bon marché n'importe où sur la planète. Alors le capitalisme a sorti son joker, une arme jamais utilisée depuis sa naissance. L'invention de la seconde armée de réserve : les femmes.

Les femmes ont toujours travaillé. À la campagne ou à la ville, la terre ou dans les boutiques, au Moyen Âge ou sous Louis XIV. Au sein du monde aristocratique, où personne ne travaillait, les plus douées d'entre elles tenaient salon. Jusqu'au XIXe siècle, un paysan français aurait trouvé grotesque d'épouser une femme par amour ou parce qu'elle était jolie : il lui fallait « une travailleuse ». En travaillant, les femmes « modernes » reviennent à la tradition. Seule la bourgeoisie occidentale du XIXe siècle a eu cette idée saugrenue – toujours son imitation de cette aristocratie qu'elle avait supplantée – de laisser ses femmes au repos. La grande nouveauté moderne, c'est la salarisation du travail des femmes. Non seulement ces salaires féminins – longtemps deuxième paie – sont inférieurs aux salaires masculins, mais ils limitent les revendications des salariés mâles qui trouvent dans le revenu de leur conjointe une poire pour la soif. *A contrario*, en Allemagne comme au Japon, où le travail des femmes reste mal considéré, et marginal, les salaires sont élevés. Au Japon, on préfère travailler jusqu'à soixante-dix ans plutôt que de faire appel à de la main-d'œuvre immigrée ou féminine. Il y a aussi une importante composante psychologique. Dans ce bras de fer entre le travail et le capital, ce dernier gagne parce qu'il humilie le travail, l'humilie deux fois, en montrant à ces « machos » blancs français, si fiers de leur savoir-faire, de leur combativité, que l'histoire de France, depuis la Révolution, a sacralisée, que des Arabes et même des femmes peuvent accomplir le même labeur qu'eux.

Les femmes sont l'armée de réserve du capitalisme. Sur les trois millions quatre cent mille personnes qui travaillent pour un salaire mensuel inférieur au Smic, 80 % sont des femmes. La précarité, le travail partiel imposé sont des spécialités féminines. L'écart de 25 % entre le revenu des hommes et celui des femmes s'explique essentiellement par ces métiers moins qualifiés et moins reconnus socialement. À qualification et ancienneté équivalentes, la « discrimination » n'est que de 6 %. « Ces différences représentent un mur conceptuel : mêmes études, mêmes trajectoires, l'égalité aurait dû être au bout du chemin. Mais elle n'est toujours pas là[1] », s'étonne

1. Anne Chemin, « Margaret Maruani, sociologue, directrice de recherche au CNRS : "La discrimination se développe dès le premier emploi" », *Le Monde*, 25 mars 2005.

Margaret Maruani, sociologue, directrice de recherche au CNRS. Ces discriminations sont en effet incompréhensibles si on ne revient pas à la source de l'entrée des femmes dans le salariat, si on continue à y voir une conquête des femmes, et non ce qu'il est en réalité : un piège magnifiquement tendu par le capitalisme menacé. On ne comprend rien non plus si on se refuse à voir que les femmes veulent – même à diplôme égal – choisir des métiers de service plus que des fonctions de pouvoir. Si on préfère y voir une aliénation du modèle patriarcal, si on se refuse de voir un « modèle féminin » qui rejette le pouvoir comme pulsion de mort, on se condamne à ne rien comprendre. Si on refuse de voir le rapport trouble entre l'argent, le pouvoir et le phallus, on se met volontairement des œillères.

On s'interdit ainsi de comprendre cet étonnant jeu de chaises musicales qui suit depuis trente ans les progrès du salariat féminin. Tout se passe en effet comme si les femmes investissaient les lieux que le pouvoir et l'argent désertaient : Éducation nationale, magistrature, médecine, procédure judiciaire, journalisme. Toutes ces professions ont subi le même duo ravageur de la féminisation et de la prolétarisation, sans que l'on sache distinguer l'œuf de la poule. Un avocat d'affaires me confiait que les femmes ont investi le droit pénal et les divorces, là où il y a le moins d'argent à gagner ; le droit des affaires, le plus « juteux », reste un domaine d'hommes qui, de plus en plus, utilisent les compétences techniques de collaboratrices, tandis que le contact avec le client reste de leur ressort.

De toutes les manières, ajoute-t-il, « à partir d'une certaine somme d'argent, les patrons n'acceptent pas d'en parler à des femmes ». Comme si c'était tabou. Comme si c'était intime, sexuel. Comme si le lien inconscient entre le phallus, l'argent et le pouvoir demeurait indéfectible, en dépit des campagnes de rééducation que nous subissons régulièrement dans les médias. Il faut saluer le génie tactique du capitalisme qui, confronté à une impasse stratégique – la pression à la hausse des salaires des ouvriers et des cadres –, a trouvé une fois encore la sortie prétendument progressiste, a exploité sans vergogne, pour un prix ridicule, des armées de jeunes femmes bien formées, courageuses, organisées et consciencieuses, découvrant avec entrain les nouvelles « libertés » offertes par le monde du travail et l'autonomie financière. Le capitalisme a transformé ces armadas ambitieuses en nouveaux « idiots utiles ». Une fois encore, la prophétie de Karl Marx s'est avérée, le capitalisme, authentique force révolutionnaire de l'histoire, a consciencieusement détruit tous les liens traditionnels ; la famille patriarcale – le fameux ménage – était le dernier bastion qui lui résistait, le dernier obstacle à la marchandisation du monde.

La mondialisation de la fin des années 1990 a permis de passer à une nouvelle étape : ce ne sont pas les femmes qui rattrapent les hommes, mais l'inverse, pas les salaires féminins qui rattrapent les salaires masculins, mais ceux-ci qui descendent peu à peu au niveau de ceux-là.

À l'exception des très hauts dirigeants (rien que des hommes), les cadres, moyens et supérieurs, féminins et masculins, sont peu à peu coupés de leurs dirigeants. Leurs conditions de travail et de revenus s'éloignent de plus en plus. Démotivés, prolétarisés, précarisés. Féminisés. Professeurs, magistrats, journalistes, toutes les professions de « cadres » féminisées en masse subissent le même destin d'une prolétarisation annoncée.

L'entrée résistible des femmes dans la politique française en est un autre exemple. Les femmes investissent la politique au moment où il y a de moins en moins de pouvoir et de moins en moins d'argent, à une époque où le marché et la transparence gagnent du terrain chaque jour. Les lois sur la parité ont été votées par le gouvernement Jospin, le premier dirigeant socialiste qui a tenté de faire comprendre aux Français les étroites limites du politique dans la mondialisation. Avec le résultat électoral que l'on sait. Les politiques ne maîtrisent plus la monnaie ni leur budget, ils ne contrôlent plus les frontières, doivent laisser entrer librement sur leur territoire hommes, marchandises, capitaux. « Nous sommes dans l'action, dans le faire, alors que les hommes sont dans le dire, dans la querelle des ego, dans les combats de coqs », répètent en boucle les femmes politiques dans tous les partis pour tenter de se faire une petite place. Pas complètement faux. Faire, disent-elles. Mais faire quoi ? Que peut faire réellement le politique ? Sur quoi a-t-il vraiment prise ?

Après sa réélection en 2002, le président Chirac a présenté ses trois priorités : plan contre le cancer, plan pour les handicapés, et plan contre la mortalité sur les routes ! Objectifs dignes d'un président de conseil général ! C'est la réalité du pouvoir aujourd'hui. Que lui reste-t-il ? Le social. De RMI en politique de la ville, l'élu est devenu l'assistante sociale d'un capitalisme mondialisé, financiarisé, nomadisé, qui se rit des « travailleurs » sédentaires restés dans les vieux pays industrialisés. Depuis longtemps, les députés ont été transformés en assistantes sociales. Les gouvernants eux-mêmes font avant tout de la politique compassionnelle qu'ils érigent en spectacle pour les « 20 heures ». Notre président est passé maître dans cette mystification. Mais entre-temps il a désacralisé la fonction présidentielle, son titulaire n'est plus le monarque sacré par le suffrage universel voulu par le général de Gaulle. Comme l'a dit cruellement François Hollande : « Désormais, tout le monde peut être président de la République, puisque Jacques Chirac l'a été. » Alors, monsieur tout le monde peut aussi être une dame.

C'est sans doute la raison profonde pour laquelle il y a pléthore de candidats en perspective de la présidentielle de 2007. À droite comme à gauche, aucun présidentiable ne s'impose vraiment, personne n'est au-dessus du lot. C'est pourquoi aussi sans doute pour la première fois la question des femmes candidates se pose. Ségolène Royal à gauche, Michèle Alliot-Marie à droite, se poussent du col présidentiel. Leur crédibilité de chef d'État est proche de zéro mais les sondages sont bons. Leurs rivaux masculins préfèrent en rire – « Qui va garder les gosses ? » – alors qu'ils devraient en pleurer. Ils sont stigmatisés comme d'« infâmes machos », et tombent ainsi dans les rets médiatiques de ces dames. Hasard ou nécessité ? Concomitance ou causalité ? C'est justement quand la politique n'a plus la réalité du pouvoir et qu'aucun présidentiable – à la manière d'un Pompidou, d'un Giscard ou d'un Mitterrand – ne surnage que la présence d'une femme à l'Élysée devient une hypothèse envisageable à défaut d'être crédible. Comme si, selon un schéma préétabli, il était temps en politique aussi de passer la main aux femmes. Vieille revendication des féministes et des bien-pensants. Mais la loi sur la parité chère à Lionel Jospin a des ratés que ses auteurs n'avaient pas prévus. Il est très difficile de trouver des femmes intéressées. Pas folles, les guêpes, elles ont compris que la vie politique occupait les soirées et les week-ends. La politique, c'est la vie de famille impossible. D'ailleurs, les hommes politiques n'en ont pas. La parité est donc devenue une mascarade, l'UMP et le PS doivent payer des amendes parce qu'ils ne trouvent pas de candidates ; pourtant, ils ont gavé les listes de leurs femmes, maîtresses, sœurs, cousines, secrétaires, anciennes petites amies et attachées de presse. Il y a encore des places à prendre.

C'est la grande ironie de l'histoire d'une féminisation qui n'est en vérité qu'une dévirilisation. Les femmes croient prendre ce qu'elles arrachent aux hommes. En vérité, les hommes abandonnent les apparences d'un pouvoir défunt. Quand elles l'investissent, si fières de leurs victoires, les femmes trouvent le vide, comme ces ministères vidés de leurs dossiers, après une alternance. Dans les pays qui assument complètement le retrait du politique, comme en Europe du Nord, les hommes sont extrêmement minoritaires dans la sphère politicienne. Là-bas, on se demande même comment un homme peut faire de la politique. En Norvège, lors de la dernière campagne électorale, les partis politiques se sont étripés des jours durant sur « le prix des crèches ». Ce n'est pas parce que les femmes dominent la vie politique norvégienne que l'on évoque à satiété la garde des enfants – analyse authentiquement misogyne. C'est parce qu'il ne reste plus à la politique que ces sujets. « La civilisation patriarcale, c'est le ressort de toute domination ; tant qu'on n'aura pas résolu le problème de la condition féminine, on ne pourra vraiment s'attaquer au reste, l'injustice dans le monde, le sous-développement… », philosophe Ségolène Royal dans un livre récent[1]. Et si c'était exactement le contraire ? Les mots mêmes ont changé, on ne parle plus de gouvernement, de pouvoir, mais de gouvernance, bonne ou mauvaise, c'est-à-dire d'adaptation réussie ou non à la mondialisation, ses impérieuses exigences et ses nouveaux maîtres. Le pouvoir n'est plus là où il fut. Il est désormais dans la finance et les hautes sphères de l'industrie. Où il n'y a pas de femmes. C'est parce qu'elle n'a pas fait son deuil de la puissance du politique – essence même de la République – que la classe politique française – et la société française dont elle est après tout issue – rechigne encore à voir enjuponné le

1. Daniel Bernard, *Madame Royal*, Jacob-Duvernet, 2005.

velours rouge des fauteuils de l'Assemblée nationale et du Conseil des ministres à l'Élysée.

C'est tout le paradoxe féminin.

Les femmes conduisent quand la vitesse est limitée ; elles fument quand le tabac tue ; elles obtiennent la parité quand la politique ne sert plus à grand-chose ; elles votent à gauche quand la Révolution est finie ; elles deviennent un argument de marketing littéraire quand la littérature se meurt ; elles découvrent le football quand la magie de mon enfance est devenue un tiroir-caisse. Il y a une malédiction féminine qui est l'envers d'une bénédiction. Elles ne détruisent pas, elles protègent. Elles ne créent pas, elles entretiennent. Elles n'inventent pas, elles conservent. Elles ne forcent pas, elles préservent. Elles ne transgressent pas, elles civilisent. Elles ne règnent pas, elles régentent. En se féminisant, les hommes se stérilisent, ils s'interdisent toute audace, toute innovation, toute transgression. Ils se contentent de conserver. On explique en général la stagnation intellectuelle et économique de l'Europe par le vieillissement de sa population. Mais Cervantes écrivit *Don Quichotte* à soixante-quinze ans ; de Gaulle revint au pouvoir à soixante-huit, et le chancelier allemand Adenauer à plus de soixante-dix. On ne songe jamais – ou on n'ose jamais songer – à sa féminisation.

Les rares hommes qui veulent conserver la réalité phallique du pouvoir se barricadent efficacement contre la féminisation de leur profession. Ils agissent comme s'ils étaient des îlots de virilité dans un monde féminisé. On les traite de « machos », ils n'en ont cure. Ils approuvent les lois sur la parité que votent les politiques en se gardant bien de faire de même au sein des conseils d'administration. Parce que le pouvoir, c'est la capacité au moment ultime de tuer l'adversaire. C'est, au final, l'instinct de mort. C'est pourquoi le pouvoir est le grand tabou de notre époque. À cette affirmation qui leur a été soumise par Sociovision Cofremca : « Les choses marcheraient mieux si plus de femmes avaient des responsabilités dans les gouvernements et dans les entreprises », plus de 70 % des personnes interrogées, hommes et femmes confondus, dans tous les pays d'Europe, et jusque dans les grandes villes du Brésil ou de l'Inde, réagissent favorablement. Et Patrick Degrave, président du conseil de surveillance de Sociovision Cofremca, de commenter non sans pertinence : « Les analyses de Sociovision Cofremca montrent que les femmes sont en moyenne assez peu attirées par le pouvoir, en particulier nettement moins que les hommes. Elles sont en pointe sur l'éloignement des comportements hiérarchiques et sur la recherche d'une société plus harmonieuse. Aux comportements masculins orientés vers la compétition, les plaisirs intenses, le respect des rôles traditionnels, la rationalité, elles opposent l'émotion, la sensibilité, la société protectrice, la qualité de la vie, le désir de donner un sens à sa vie. S'il y a recherche de conquête de pouvoir chez les femmes, c'est assurément pour infléchir la marche de la société.

« Cette alternative sociétale rend-elle la position des hommes et des femmes durablement inconciliable ? Non, si on regarde les positions des jeunes hommes. Leurs attitudes sont plus proches de celles des femmes que de celles de leurs aînés masculins. Il y a là une source de méditation pour les gouvernants et les dirigeants d'entreprise. »

Le pouvoir, c'est le mal, la mort, le phallus, l'homme. Plus personne, dans les jeunes générations de nos pays, ne veut assumer ce fardeau. Volonté de l'homme blanc de sortir de l'histoire, en spectateur effrayé de sa propre histoire, grandiose et sanglante. Volonté d'échapper aussi à la tyrannie de la Raison qui illumine, pour le meilleur et pour le pire, l'histoire de l'Occident. La féminisation des hommes et de la société est vécue comme une alternative bienheureuse, la quête d'un âge d'or, la parousie universelle. Le rêve féministe s'est substitué au rêve communiste. On sait comment ces rêves finissent.

Dans le reste du monde, on n'en est pas là. Les Américains, les Chinois, les Indiens, les Arabes, les Russes assument la force, la violence, la guerre, la mort, la virilité. Hors du monde occidental, les hommes défendent jalousement leur domination comme un trésor et refusent, qu'ils soient musulmans, hindous ou bouddhistes, d'aligner le « statut » de leurs femmes sur celui des Européennes. Ainsi, de part et d'autre des océans s'affrontent deux férocités : totalitarisme féministe contre tyrannie masculine. Des musulmans jusqu'aux chanteurs de reggae, l'influence homosexuelle est clairement désignée comme une menace à éradiquer. Aux États-Unis, ce fut d'abord le contraire. Les femmes ont, les premières, obtenu l'égalité, le respect, l'indifférenciation. Les lois contre le harcèlement sexuel, le partage des rôles à la maison, l'entrée massive, et aux plus hauts postes de cadres, dans la vie professionnelle. Tout ce dont rêvent les féministes du monde entier. Tout ce qu'ont incarné Jane Fonda ou Hillary Clinton. C'est aux États-Unis qu'est né l'homme féminisé. L'homme castré. Mais c'est aussi des États-Unis qu'est venue une vigoureuse réaction masculiniste, avec ces groupes d'hommes qui réapprennent leur virilité dans des forêts. Et George Bush, ses bottes de Texan et ses « néoconservateurs », viennent de Mars et non de Vénus.

Face à cette évolution, les sociétés européennes et américaines risquent de s'éloigner de plus en plus, une dérive des continents où l'Europe incarnerait la femme et l'Amérique l'homme. Ou alors, comme d'habitude dans l'histoire du XXe siècle, les évolutions de l'Amérique préfigurent-elles les nôtres avec vingt ans d'avance ? Mais cette révolution masculiniste se fera dans un contexte délicat et inédit. Dans nos banlieues, l'islamisation, démographique ou culturelle, a entamé son travail de séparation rigoriste des sexes et d'enfermement des femmes. Quand on demande à Malek Chebel, écrivain, psychanalyste et anthropologue, pourquoi choisir l'islam plutôt que le christianisme, il répond : « Pour sa virilité. » On croit à une provocation gratuite, mais Chebel décrit avec une rare finesse ce qui est en train de se passer dans les banlieues françaises : « Je suis toujours très surpris par la force de conviction des convertis chrétiens à l'islam. Qu'est-ce qu'ils trouvent ? Une virilité et une sécurité qu'il n'y a plus dans le christianisme... La force de Jésus, mais c'est aussi son talon d'Achille, est d'avoir promu une religion de bonté, de miséricorde, mais aussi de souffrance. On te frappe la joue, tu tends l'autre. C'est une religion compassionnelle. En Orient, ce sont des vertus féminines. Que propose Mahomet ? Un renforcement du patriarcat, même s'il respecte la femme et restaure son statut. Les valeurs fortes comme la richesse, la force, la guerre ne sont pas remises en question. Religion masculine par définition[1]. »

Par la télévision, le nouveau modèle américain bushiste, viril et néoconservateur, imprègne les cerveaux juvéniles. Ces deux modèles répondent d'ores et déjà à la demande d'ordre qui transpire par tous les pores de la société française, minée par trente ans de désordre féminin. L'anarchie appelle la dictature, à l'anomie succède la tyrannie. C'est ce qui nous guette. Ce sont des modèles âpres, rudes, violents. Ils sont étrangers à la tradition française, qui a l'originalité de concilier une domination patriarcale dans un monde ouvert aux femmes. François Ier fut le premier roi d'Occident qui accepta les femmes à sa cour. L'amour courtois fut inventé dans le sud-ouest de la France. Les salons du XVIIIe siècle, tenus par des femmes, furent une exclusivité française. Cet équilibre subtil entre hommes et femmes, entre virilité dominante et féminité influente, a été brisé par l'abdication des hommes blancs du XXe siècle qui ont mis à terre leur sceptre patriarcal. La nature ayant horreur du vide, le féminisme, qu'il soit d'inspiration française ou

1. Catherine Golliau, « Malek Chebel : "L'avenir est à l'islam" », *Le Point*, 22 septembre 2005.

américaine, a tenté de combler cette carence du pouvoir. En vain. Cette restauration d'un ordre viril à la française n'aura probablement pas lieu. On pourrait croire que les femmes françaises et européennes, enivrées de leur liberté et de leur autorité nouvelles, refuseront avec véhémence cette revanche réactionnaire. Je persiste à penser que les résistances des femmes ne seront pas bien fortes. Leurs souffrances de régentes d'une société sans roi sont trop grandes ; la féminisation des hommes provoque un immense désarroi, une frustration insupportable pour elles, un malheur intolérable pour leurs enfants. De plus en plus de femmes – même parmi les plus diplômées – se retirent du marché du travail au premier enfant. Les yeux des femmes se sont dessillés ; elles ont compris le piège que le capitalisme leur avait tendu ; tout se passe aussi comme si, inconsciemment affolées par la féminisation accélérée de leurs hommes, elles tentaient un rétropédalage désespéré. Il me semble en revanche que la plus grande résistance viendra des hommes, trop contents de s'être enfin débarrassés du fardeau qui court entre leurs jambes. Même si la soumission, l'humiliation, le malheur sont leur destin.

8882

Composition
NORD COMPO

Achevé d'imprimer en Espagne
par BLACKPRINT
le 1er octobre 2019.

1er dépôt légal dans la collection : février 2009
EAN 9782290014325
OTP L21EPLN000447A006

ÉDITIONS J'AI LU
87, quai Panhard-et-Levassor, 75013 Paris

Diffusion France et étranger : Flammarion